From & Into English

An introduction to translating
from & into English

Jean-Max Thomson

avec la collaboration de

Annette Bajac   Rosalind Greenstein   John Holstead

From & Into English

An introduction to translating
from & into English

DUNOD

Maquette de couverture : *Marie-France Godon.*
Maquette intérieure : *P.A.G.*

ISBN 2 10001786 1

à **A.**

Table des matières

CHAPITRE 3

La conversion

CHAPITRE 4

L'unité de traduction

CHAPITRE 5

Les faux-amis

CHAPITRE 6

La polysémie

CHAPITRE 7

L'ellipse

Introduction

Erreur, tu n'es pas un mal
G. Bachelard

Ce manuel est destiné aux débutants dans la pratique de la traduction, c'est-à-dire aux premières années de l'enseignement supérieur (classes préparatoires ou universités) puisque la majorité de ces étudiants n'ont pas l'occasion d'aborder cet exercice au cours de leurs études secondaires. Il concerne aussi bien la version que le thème.

L'idée de ce manuel est née d'une analyse des fautes commises par les débutants. En effet, une partie des faiblesses des traductions proposées par les étudiants provient bien sûr de leur connaissance insuffisante des caractéristiques lexicales, syntaxiques... de l'une ou l'autre langue. Une autre partie des erreurs, cependant, est la conséquence d'une attention insuffisante aux formes de la langue, c'est-à-dire d'une absence de recul vis-à-vis du système de représentation que constitue toute langue. Cette zone d'erreurs se trouve en deçà de la connaissance de l'un ou l'autre des systèmes particuliers que sont l'anglais ou le français. C'est contre ce deuxième type de fautes qu'il paraît utile de mettre d'abord les débutants en garde.

On peut en fait ramener une bonne partie des fautes qu'ils commettent à une seule erreur cardinale, que l'on nomme généralement « traduction littérale », étiquette que l'on peut reprendre à condition de la préciser et de l'élargir. En effet la traduction littérale est définie comme une traduction qui se fait mot à mot. Traduire *il pleut des cordes* par * *it's raining ropes* c'est superposer les deux textes dans leur aspect formel, ne pas apercevoir l'unité que constitue /*pleuvoir des cordes*/ ni le sens métaphorique que prend *cordes* dans cet emploi. C'est donc être trompé par la *forme* de l'énoncé. Un exemple – authentique – de faute particulièrement parlant est celui de :

eighty four

proposé comme traduction de

quatre vingt

Il est manifeste ici que la faute est induite par la fascination qu'exerce sur le traducteur la forme de la langue de départ (en l'occurence la structure en deux éléments). Ceci est prouvé par le fait que l'étudiant ne peut pas être soupçonné de ne pas connaître la bonne traduction puisqu'il s'en sert dans sa traduction erronée.

De la même façon, la mauvaise traduction d'un faux-ami comme *a dispute* par *une dispute* peut être décrite comme variante de la traduction mot à mot: il s'agit en fait d'une traduction « lettre à lettre » (littéralement littérale).

Partant de cette hypothèse on peut proposer la liste suivante de quelques erreurs communes, auxquelles on a associé la forme responsable de la faute.

expression à traduire et bonne traduction	**mauvaise traduction**	**forme responsable**
- On parle anglais *English spoken*	* One speaks English	voix (passive/active)
- Il se rase *He shaves*	* He shaves himself	régime du verbe (pronom/simple)
- C'est une chanteuse *She's a singer*	* It's a singer	const (personnelle/ impersonnelle)
- Il parlera quand il sera là *He'll talk when he's here*	* He will talk when he will be here	marque de temps (futur/ présent)
- Il a de la chance *He's lucky*	* He has luck	classe de mots (nom/adj)
-C'est lucratif *It's lucrative*	* It's lucratif	orthographe (-if/-ive)
- Il parle bien l'anglais* *He speaks English well*	He speaks well English	ordre des mots (Vb-Adv- Comp/ Vb- Comp-Adv)

On voit qu'apprendre à l'étudiant à ne pas se laisser tromper par les formes de la langue de départ, c'est d'abord lui montrer concrètement en quoi traduire n'est pas transcoder, selon la formule de D. Seleskovitch et M. Lederer[1]. Ou comme le dit E. Benvéniste : « On peut transposer le sémantisme d'une langue dans une autre, "salva veritate"; c'est la possibilité

1. D. Seleskovitch et M. Lederer, *Interpréter pour traduire*, Didier-Érudition, 1984.

de la traduction; mais on ne peut transposer le sémiotisme d'une langue dans celui d'une autre, c'est l'impossibilité de la traduction »[2] (cf. page suivante). L'étudiant qui commet une des fautes citées plus haut tente une transposition de l'ordre sémiotique de l'énoncé, au lieu de saisir son unité sémantique pour l'encoder ensuite seulement dans un autre système linguistique.

Comment rendre l'étudiant plus attentif aux formes de la langue ?
Il est apparu nécessaire de ne pas partir du texte mais d'une unité plus modeste telle que le groupe de mots, ou la phrase où l'on aura souligné un problème particulier.
En effet, face à la multitude des problèmes – souvent enchevêtrés – résolus au cours de la traduction d'un texte donné, l'étudiant n'a souvent pas les moyens ou même l'idée de dégager les principes de son activité de traducteur afin de les réutiliser ultérieurement. De telle sorte qu'après avoir eu sous les yeux dix exemples de conversion de nom à verbe, il butera à nouveau sur :

> *There was* a knock *on the door*.

qu'il rendra par

> * Il y eut un coup à la porte.

au lieu de

> On frappa (à la porte).

C'est pourquoi le présent ouvrage comporte une partie d'exercices dont la vocation est d'être au traducteur ce que les gammes sont au pianiste : une préparation systématique à l'exercice complet qu'est la traduction d'un texte.
Ces exercices sont regroupés en séries qui chacune illustre une problème, c'est-à-dire montre en quoi la représentation que le traducteur débutant se fait de la traduction est erronée. Les problèmes retenus sont les plus fondamentaux auxquels le traducteur est confronté ; après une première série expliquant à l'étudiant le mécanisme de la traduction, sont abordés successivement : l'ordre des mots, les classes de mots, l'unité de traduction, les faux-amis, la polysémie, l'ellipse.
L'objectif de ces séries d'exercices sera atteint dès que l'étudiant aura pris l'habitude de réflechir à sa pratique de traducteur et donc aura le réflexe de contrôler la première traduction qui lui vient à l'esprit.

C'est le même souci qui a inspiré la conception des pages consacrées à la traduction de textes. En dehors des instructions ou avertissements qui suivent chaque passage à traduire, les explications qui les accompagnent concernent soit des erreurs commises par des étudiants de même niveau, soit des procédés de traduction, soit des variantes proposées. L'analyse de toutes les erreurs, de toutes les variantes et de tous les procédés de traduction pour un texte de vingt lignes pouvant facilement occuper cent pages, c'est bien sûr un nombre limité de points particulièrement significatifs qui ont été choisis.

L'étudiant est ainsi invité non pas à constater que tel élément doit se traduire de telle ou telle façon, mais à mesurer l'écart qui sépare:

- une forme de la langue de départ de sa traduction
- une traduction érronée d'une traduction correcte
- une traduction correcte d'une autre traduction possible

L'intérêt de cette démarche est de casser l'illusion de transparence que donne la simple juxtaposition d'un texte et de sa traduction et de donner à l'étudiant la conscience du décalage entre les deux langues, conséquence de l'absence de coïncidence entre la langue et le monde.

On a ajouté de plus quelques pages d'introduction à l'utilisation des dictionnaires monolingues et bilingues. Il ne semble pas inutile en effet de familiariser l'étudiant avec ces outils essentiels, dont l'utilisation à bon escient ne va pas de soi. Ceci paraît d'autant plus nécessaire que l'étude des problèmes lexicaux est la portion congrue de l'enseignement secondaire.

Je remercie tous ceux qui ont collaboré à cet ouvrage : tout d'abord mes étudiants, cobayes consentants sans lesquels ce travail n'aurait pas vu le jour; Annette Bajac, pour son travail sur les versions et ses suggestions sur l'ensemble du projet, Rosalynd Greenstein et John Holstead pour leur travail sur les thèmes, Göran Dahlgren qui a bien voulu relire et commenter l'ensemble du texte.

Les commentaires des lecteurs, étudiants ou professeurs, seront les bienvenus.

---

2 E. Benvéniste, *Problèmes de linguistique générale*, Tome 2, Coll. Tel, éditions Gallimard, 1974, p. 228.

Au lecteur

Ce manuel a été conçu à partir de l'analyse de fautes commises par des traducteurs débutants. Le premier chapitre est une introduction générale aux problèmes que pose la traduction. Il n'est donc pas construit comme les six autres qui se composent :

– d'une **série d'exercices** sur un problème particulier, suivie de ses corrigés.

Ces exercices portent sur les difficultés les plus courantes rencontrées par le traducteur et leur but est de vous faire acquérir les réflexes fondamentaux du traducteur averti, au moyen d'exemples concrets.

– d'une **version** et d'un **thème commentés.**

La traduction de chaque texte est accompagnée de commentaires portant soit sur des procédés de traduction, soit sur des variantes possibles, soit encore sur des fautes commises par des étudiants. Ces explications doivent vous permettre de mieux comprendre comment parvenir à une bonne traduction et de démonter – en partie du moins – le mécanisme de vos propres erreurs; enfin d'évaluer vous-même la qualité des traductions que vous proposez.

– d'une **version** et d'un **thème non commentés.**

Il s'agit de textes d'entraînement pour la traduction desquels vous devez appliquer ce que vous avez compris et retenu grâce aux étapes précédentes. La traduction proposée en correction n'est bien sûr qu'une traduction possible. Elle vous permettra, si vous travaillez seul, d'une part de vérifier que vous n'avez pas fait d'erreur d'interprétation du texte original, d'autre part, d'apprendre des tournures que vous ignoriez peut-être.

Vous trouverez de plus en annexe à la fin du manuel quelques pages d'introduction à l'usage des dictionnaires, qui doivent vous permettre de vous en servir plus efficacement.

CHAPITRE 1

Le mécanisme de la traduction

1

Le mécanisme de la traduction

Exercices 1

Ce chapitre ne se présente pas comme les suivants car c'est un chapitre d'introduction dont l'objectif est de vous faire percevoir le principe fondamental de l'activité de traduction.

Premier exemple :

> D'aucuns critiqueront la réforme.

Supposez qu'au cours d'un examen vous ayez à traduire cette phrase. Vous ne connaissez pas la traduction de **d'aucuns**, qui n'est pas une expression très courante, et vous ne disposez pas d'un dictionnaire.
La meilleure solution consiste alors à trouver un synonyme en français et à traduire ce synonyme. Chercher un synonyme, c'est élucider le sens du mot ou de l'expression problématique.

La traduction manquera peut-être de précision mais elle rendra l'essentiel du sens français, et ceci est le maximum de ce que l'on peut vous demander dans un examen à ce niveau.
Le synonyme qui vient le plus naturellement à l'esprit sera sans doute **certains**, et vous pourrez donc envisager de traduire la phrase par :

> *Some will criticize the reform.*

Il se trouve qu'il n'existe pas en anglais de correspondant exact à l'expression française **d'aucuns**. Dans ce cas, la traduction à laquelle vous aurez abouti sera donc la meilleure possible.
Vous ne connaissiez pas la traduction, mais en procédant ainsi vous avez su traduire.

Deuxième exemple :

Une vieille dame gâteuse.

Comme dans le cas précédent, vous ignorez 'la' traduction du mot **gâteuse**, et vous ne pouvez vous reporter à un dictionnaire. Demandez-vous d'abord ce que veut dire ce mot, autrement dit essayez d'exprimer la même chose avec d'autres mots, paraphrasez. Peut-être penserez-vous à :

une vielle dame qui raconte des sottises,
qui ne sait plus très bien ce qu'elle dit,
qui est un peu sotte.

Et maintenant traduisez; de ces trois paraphrases la dernière est la plus simple. On peut proposer :

an old woman who's a bit silly

L'inconvénient de cette traduction est qu'elle est assez longue, par rapport à l'original. On peut cependant la modifier :

a silly old woman

et vous pouvez raisonnablement penser que vous avez sinon la traduction, du moins un équivalent acceptable puisque l'expression que vous avez trouvée est en anglais correct et rend au moins l'essentiel de l'expression française.
Il se trouve que ***silly old woman*** est effectivement proposé dans le dictionnaire *Robert-Collins*, comme deuxième traduction possible après ***doddering old woman***.

1-1
It's your turn to try and find a translation for the following words or expresssions, which you probably have never had to translate before. Think of a French synonym first, then translate that synonym.

1 J'ai rencontré mon **sosie**.
2 Qui **ajouterait foi** à une telle histoire ?

3 **De surcroît**, il n'est pas venu à la réunion.
4 Leur **mise en garde** ne fut pas écoutée.
5 Il est venu **expressément** pour elle.
6 Quelle est votre **pointure** ?
7 Il a **trouvé la mort** dans un accident de voiture.
8 Elle a décidé de faire de **l'équitation**.
9 Son **dessein** est de devenir pilote.

Vérifiez vos réponses à la fin de ce chapitre. Certes, ce procédé ne vous permettra pas de traduire tous les mots ou expressions dont vous ignorez la traduction. Il faut en effet que vous sachiez trouver le synonyme français, et le traduire ensuite.

Troisième exemple :

*I **wish** I had gone to the theatre last week when there wasn't a queue.*

Cette phrase ne se laisse pas traduire facilement même si vous savez que **wish** signifie **souhaiter**. Il n'est en effet pas possible de traduire la phrase complète dans une langue correcte en employant cet équivalent de ***wish***. Il faut donc en chercher un autre.

La meilleure solution consiste ici à remplacer le mot français non plus par un synonyme mais par un antonyme, c'est-à-dire un contraire. On traduira donc :

Je regrette de ne pas être allé au théâtre la semaine dernière quand il n'y avait pas de queue.

Vous noterez qu'il faut bien sûr ajouter une négation pour ne pas aboutir à un contre-sens. C'est la technique du contraire négativé.

Dans certains cas ce procédé est obligatoire, parce qu'il n'y a pas d'autre moyen de former une phrase correcte dans la langue d'arrivée. Dans d'autres, sans être obligatoire, ce procédé sera recommandé parce qu'il permet une traduction plus claire, plus naturelle ou plus élégante.

1-2
Employez ce procédé pour traduire les exemples suivants :

1 They ***wish*** their daughter had not told them about it.
2 Did you ***remember*** to ask her ?
3 There's a police car coming, I think we should ***move on***.

4 The Nazis said they would take over the whole of Europe and by God they ***meant it***!
5 You've got to ***bear in mind*** that he's the one who started.
6 'Do you think he stole the money?' she asked. '***I wouldn't put it past*** him,' he replied.
7 ***Don't give up***! ***We'll be rescued shortly***.
8 ***I'm well aware*** of your difficulties.
9 She's bitter and ***I don't blame her for it***.

Quatrième exemple :

An Englishman's home is his castle.

Toute langue comporte des formes figées, dont les proverbes comme celui-ci. Pour le comprendre, il faut bien sûr traduire d'abord littéralement. Mais une fois que l'on a compris le message, il faut chercher en français quel est le proverbe qui correspond (la plupart ont un équivalent). Il faut donc procéder en deux étapes pour aboutir à :

Charbonnier est maître chez soi.

1-3
Procédez de la même façon pour trouver les proverbes français équivalents à ceux-ci :

1 A bird in the hand is better than two in the bush.
2 Don't count your chickens before they're hatched.
3 Still waters run deep.
4 You can't have your cake and eat it.
5 When there's a will, there's a way.
6 Give your dog a bad name and hang him.
7 The early bird catches the worm.
8 Once a thief, always a thief.

CONCLUSION

Que montrent ces trois exemples de procédés de traduction, passage au synonyme, contraire négativé et transposition globale ?
Ils montrent que la traduction n'est pas une simple transposition du français vers l'anglais et inversement. En effet, pour chacun des exercices vous avez dû procéder en deux étapes. D'abord, trouver un synonyme, trouver un contraire, ou saisir le message de l'ensemble du proverbe pour ne proposer qu'ensuite une expression équivalente dans la langue d'arrivée.

Ces trois exemples illustrent donc le mouvement en deux temps de la traduction. D'abord éclaircir la forme qui pose problème, approcher son sens, puis repartir de ce sens pour l'exprimer dans la langue d'arrivée.

Ces deux temps correspondent à deux démarches inverses puisque la première est un décodage (passage d'une forme à un sens) et la seconde un encodage (passage d'un sens à une forme). Ce sont ces deux temps qu'il faut apprendre à dissocier pour bien traduire.
En effet une grande partie des erreurs en traduction provient de l'association automatique, non réfléchie, d'une forme de la langue de départ à une forme de la langue d'arrivée. On peut schématiser ainsi la démarche du traducteur naïf :

A ce schéma erroné, il faut substituer le suivant, qui est celui du traducteur averti :

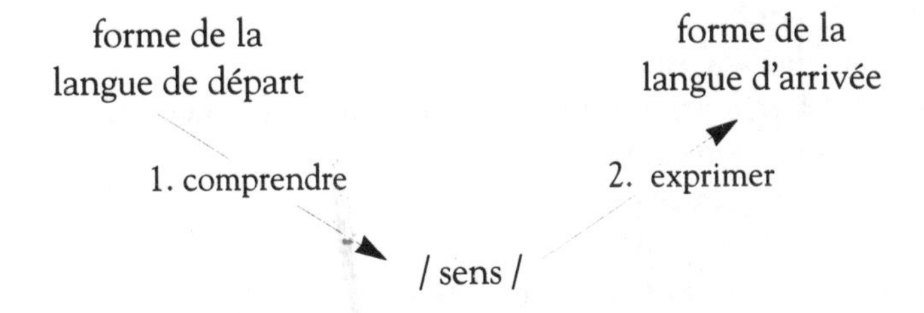

La nécessité de procéder ainsi explique pourquoi on conseille toujours aux apprentis-traducteurs de toujours lire plusieurs fois le texte à traduire avant de proposer une traduction. L'accès au sens n'est en effet jamais immédiat, même dans sa langue maternelle (comme le montre par exemple l'exercice de commentaire de texte), et vouloir à la fois cerner ce sens et trouver une expression équivalente dans une autre langue, c'est chasser deux lièvres à la fois.

Forewarned is forearmed!

Solutions 1

Avertissement concernant toutes les solutions données dans l'ouvrage. Il est pratiquement impossible de donner toutes les traductions possibles. Par exemple, il arrive fréquemment avec les exemples proposés que le passé composé français puisse se traduire par un « present perfect » (lien avec le présent) ou par un « simple past ». Ceci est dû au fait que les phrases sont présentées hors contexte et que le choix de l'un ou l'autre est indécidable. Les solutions n'indiquent qu'un des deux temps pour ne pas allonger inutilement le texte. De même il existe souvent plusieurs choix lexicaux pour tel ou tel mot, qui ne sont pas indiqués pour la même raison.
D'une manière générale, concentrez votre attention sur **le** problème particulier posé dans l'exercice.
La barre oblique indique une autre possibilité de traduction. Les parenthèses indiquent un élément qui peut être omis.

1-1

1 I've met my ***double***.
2 Who would ***believe*** such a story?
3 ***Moreover / Furthermore***, he didn't turn up at the meeting.
4 Their ***warning*** went unheeded.
5 He has come ***specially*** for her.
6 What's your ***(shoe) size***?
7 He ***was killed/ got killed*** in a car crash.
8 She has decided to take up ***(horse)-riding***.
9 His ***intention/aim*** is to become a pilot. / He ***intends to*** become a pilot.

1-2

1 Ils regrettent que leur fille leur en ait parlé.
(notez que la négation qu'il faut supprimer n'est pas dans la même proposition.)
2 Tu n'as pas oublié de lui demander ?
3 Il y a une voiture de police qui arrive, je crois qu'on ne devrait pas rester là.
4 Les Nazis ont dit qu'ils envahiraient toute l'Europe et bon sang, ils ne plaisantaient pas.
5 Il ne faut pas oublier que c'est lui qui a commencé.
6 « Pensez-vous qu'il a volé l'argent? demanda-t-elle. - Il en est bien capable », répondit-il.
7 Tiens bon ! Les secours ne vont pas tarder.
8 Je n'ignore pas vos difficultés.
9 Elle est amère et je la comprends.

1-3
1 Un tiens vaut mieux que deux tu l'auras.
2 Il ne faut pas vendre la peau de l'ours avant de l'avoir tué.
3 Il n'est pire eau que l'eau qui dort.
4 On ne peut pas avoir le beurre et l'argent du beurre.
5 Qui veut peut/vouloir c'est pouvoir.
6 Qui veut noyer son chien l'accuse de la rage.
7 Le monde appartient à ceux qui se lèvent tôt.
8 Qui vole un œuf, vole un bœuf.

Version 1

L'étude de ce premier texte de version (traduction de l'anglais vers le français) a pour but de vous montrer comment un traducteur doit s'éloigner de la lettre du texte de départ pour aboutir à un texte clair et élégant dans la langue d'arrivée. Le défaut majeur du traducteur débutant est en effet d'ignorer le degré de liberté dont il dispose et de ne pas prendre le recul nécessaire vis-à-vis du texte à traduire.
C'est pourquoi il vous est proposé dans ce chapitre, non pas de traduire, mais d'étudier la traduction donnée par un professionnel d'un extrait du roman de William Styron. Celui qui traduit un livre entier est souvent amené à prendre plus de libertés que vous n'êtes censé en prendre pour la traduction d'un court extrait dans le cadre scolaire ou universitaire. La traduction qui suit n'est donc pas nécessairement le texte idéal auquel vous auriez dû parvenir si vous aviez traduit vous-même cet extrait, mais il vous indique la direction dans laquelle vous devez travailler.

Lisez d'abord attentivement le passage pour le comprendre (sans vous soucier du tout de la façon dont on pourrait le rendre en français), puis la traduction de Maurice Rambaud. Ensuite lisez les explications qui suivent et qui concernent certaines des modifications apportées par le traducteur à la formulation du texte anglais.

Plan de travail
I Compréhension du texte anglais
II Lecture de la traduction
III Etude de la traduction

The creative heat

1 In those days cheap apartments were almost impossible to find in Manhattan, so I had to move to Brooklyn. This was in 1947, and one of the pleasant features of that summer
5 which I so vividly remember was the weather, which was sunny and mild, flower-fragrant, almost as if the days had been arrested in a seemingly perpetual springtime. I was grateful for that if for nothing else, since my youth,
10 I felt, was at its lowest ebb. At twenty-two, struggling to become some kind of writer, I found that the creative heat which at eighteen had nearly consumed me with its gorgeous, relentless flame had flickered out to a dim
15 pilot light registering little more than a token glow in my breast, or wherever my hungriest aspirations once resided. It was not that I no longer wanted to write, I still yearned passionately to produce the novel which had been
20 for so long captive in my brain. It was only that, having written down the first few fine paragraphs, I could not produce any others, or — to approximate Gertrude Stein's remark about a lesser writer of the Lost Generation
25 — I had the syrup but it wouldn't pour. To make matters worse, I was out of a job and had very little money and was self-exiled to Flatbush — like others of my countrymen, another lean and lonesome young Southerner wandering
30 amid the Kingdom of the Jews.

fragrant = sweet-smelling
seemingly = apparently
was at its lowest ebb= had never been so difficult
flicker = shine unsteadily
dim = weak
token = small
yearn = desire
approximate = quote approximately
wander = walk aimlessly
amid = in

William Styron, *Sophie's choice*, 1976
Random House.

I Compréhension du texte anglais

Il s'agit du premier paragraphe du roman, passage relativement difficile qui illustre bien le travail opéré par le traducteur. C'est surtout la partie centrale du texte qui peut poser des problèmes de compréhension, là où l'auteur file la métaphore de la « chaleur créatrice ». Les notes en marge doivent vous permettre d'en avoir une compréhension au moins approximative .

II Lecture de la traduction

Lisez maintenant la traduction en parallèle avec le texte de départ (une phrase du texte anglais puis sa traduction) et soulignez ce qui vous paraît le plus remarquable.

1 Il était presque impossible à l'époque de trouver des logements bon marché à Manhattan, aussi me résignai-je à aller m'installer à Brooklyn. C'était en 1947 et, entre autres particularités agréables de cet été dont je garde un souvenir si vivant, il y eut
5 le temps, ensoleillé et doux, l'air chargé d'un parfum de fleurs, à croire que le cours des saisons s'était figé dans un printemps qui semblait devoir être éternel. Je m'en réjouissais, moi qui ne voyais guère d'autres raisons de me réjouir, dans la mesure où ma jeunesse, me semblait-il, était au creux de la vague. A vingt-
10 deux ans, et alors que je m'évertuais à percer dans le monde des lettres, je constatais que la fièvre créatrice de mes dix-huit ans dont, infatigable et somptueuse, la flamme avait failli me consumer, ne brûlait plus, vacillante, que comme une faible veilleuse enfouie au tréfonds de moi-même, là où résidaient jadis
15 mes aspirations les plus démesurées. Non pourtant que j'eusse perdu le goût d'écrire, au contraire je brûlais plus que jamais du désir passionné de libérer le roman depuis si longtemps prisonnier de mon cerveau. Mais une fois rédigés les tout premiers paragraphes, paragraphes superbes, je m'étais découvert inca-
20 pable d'en produire d'autres, ou, pour parodier ce que dit Gertrude Stein d'un écrivain mineur de la Génération Perdue — je possédais le sirop mais il refusait de couler. Pour comble de malheur, je me trouvais au chômage, quasiment à bout de ressources, et avais choisi de m'exiler à Flatbush — à l'instar de
25 tant de petits provinciaux, enfants du Sud efflanqués et solitaires, comme moi perdus dans le Royaume des Juifs.

traduit par Maurice Rambaud, *Le choix de Sophie*, 1981, Gallimard.

III ÉTUDE DE LA TRADUCTION

Vous avez sans doute remarqué que la traduction était sensiblement plus longue que le texte de départ (environ 15 % de plus). Ceci montre que le traducteur est souvent amené à exprimer une partie de ce qui est sous-entendu par le texte de départ.
Vous avez aussi remarqué que la traduction est très libre. Pour une traduction-exercice comme celles que l'on vous demande de faire, il faut en général prendre moins de libertés avec le texte. Par exemple, dans la première phrase, ***have to*** est rendu par **se résigner** :

> *..., so I had to move to Brooklyn.*
> ..., aussi me résignai-je à aller m'installer à Brooklyn.

Cet écart par rapport au texte original n'est compréhensible que parce que le traducteur a pu *interpréter* la notion d'obligation exprimée par ***have to*** et la situation psychologique dans laquelle elle plongeait le personnage : une telle interprétation n'est possible que si l'on a lu un passage plus long du roman que ce premier paragraphe.
C'est pourquoi, si vous aviez eu ce passage à traduire, il aurait été préférable que vous employiez une traduction plus littérale, **devoir** ou **être obligé de** :

> ..., aussi fus-je obligé d'aller m'installer à Brooklyn.

Il faut donc noter que souvent il n'y a pas une seule bonne traduction, mais plusieurs, et que, lorsque vous avez le choix entre plusieurs formulations de qualité équivalente, vous avez intérêt à choisir celle qui ne résulte pas d'une interprétation risquant de paraître gratuite.

Voici quelques-unes des modifications importantes imposées par le traducteur au texte de départ, c'est-à-dire d'écarts par rapport à la forme du texte original.

1 Explicitation

Le traducteur a rendu explicitement plusieurs éléments du sens qui sont sous-entendus dans le texte anglais.

Outre l'exemple de ***have to*** traduit par **se résigner** dont il a été question plus haut, on notera en particulier :

flower-fragrant => **l'air chargé d'un parfum de fleurs**

En anglais, il s'agit un adjectif composé se rapportant au nom ***weather***. Il est impossible en français d'une part d'obtenir un équivalent aussi compact pour cet adjectif, d'autre part de l'appliquer au nom **temps**. C'est pourquoi on a dû ajouter un autre nom : **l'air**.

if for nothing else => **moi qui ne voyais guère d'autres raisons de me réjouir**

La proposition anglaise est elliptique puisqu'elle ne comporte ni sujet ni verbe. Pour la comprendre, il faut les rétablir :

(even) if I was grateful for nothing else

Il n'est pas impossible de trouver une formulation elliptique en français, comme par exemple **à défaut d'autre chose**. Si le traducteur a préféré expliciter, c'est sans doute qu'il a pensé qu'une traduction trop brève risquait de ne pas être claire.

I still yearned passionately => **au contraire je brûlais plus que jamais du désir passionné**

En ajoutant **au contraire**, le traducteur explicite le rapport existant entre cette proposition et la précédente, rapport laissé implicite dans le texte anglais.

Dans le même extrait, on remarquera la traduction de ***still*** par **plus que jamais** alors qu'on aurait pu employer tout simplement **toujours** ou **encore**. La traduction est donc un renforcement du sens de l'adverbe anglais.

was self-exiled to Flatbush => **avait choisi de m'exiler à Flatbush**

L'ajout du verbe **choisir** n'est possible, comme pour celui de **se résigner** dans la première phrase, que grâce à une interpretation de l'ensemble du texte. Si vous aviez eu à traduire ce passage, il aurait été préférable d'écrire simplement :

je m'étais exilé à Flatbush

2 Suppression

Inversement on note qu'il existe quelques éléments qui n'ont pas été traduits. Ils sont peu nombreux. Il s'agit de :

which was sunny and mild => **doux et ensoleillé**
which had been for so long captive => **depuis si longtemps prisonnier**

Dans les deux cas, il s'agit de la réduction d'une proposition relative. Il faut remarquer que les éléments non-traduits ne sont pas porteurs de sens, et que donc cette réduction n'entraîne aucune perte.

3 Conversion

La traduction comporte par ailleurs un certain nombre de conversions, c'est-à-dire de traductions par un mot appartenant à une autre classe que celle du mot traduit.
Par exemple, dans la deuxième phrase :

that summer which I so vividly remember => **cet été dont je garde un souvenir si vivant**

Le verbe ***remember*** se retrouve dans le nom **souvenir**, et en conséquence, l'adverbe ***vividly*** est transformé en adjectif: **vivant**.

Plus loin, l'adverbe ***seemingly*** est traduit par le verbe **sembler**, traduction du verbe ***seem*** qui est la racine de cet adverbe.
Dans la phrase suivante, l'adjectif ***grateful*** est rendu par le verbe **se réjouir**.

Un peu plus loin c'est l'adverbe ***nearly*** qui est rendu par le verbe français **faillir**:

had nearly consumed me => **avait failli me consumer**

It was not that I no longer wanted to write => **Non pas que j'eusse perdu le goût d'écrire**

C'est un autre cas de double conversion, puisque l'essentiel du sens de l'adverbe ***no longer*** se retrouve dans le verbe **perdre** tandis que celui du verbe ***want*** est rendu par le nom **goût**.

Enfin, on peut noter la traduction de :

I could not produce any others => **je m'étais découvert incapable d'en produire d'autres**

où le verbe ***could*** est traduit par l'adjectif **incapable**.

4 Changement de construction

Dans un certain nombre de cas, le traducteur a choisi de modifier la construction, c'est-à-dire la structure syntaxique de la phrase. Des exemples de ce type de modification ont déjà été rencontrés dans le paragraphe concernant les suppressions, où l'on avait observé que deux propositions relatives avaient été transformées en appositions. Il en existe d'autres exemples :

apartments were almost impossible to find => **il était presque impossible [...] de trouver des logements**

La maladresse que constituerait une transposition de la construction anglaise a incité le traducteur à employer une tournure impersonnelle.

struggling to become ... => **tandis que je m'évertuais**

La gérondif anglais est d'un usage beaucoup plus fréquent que son équivalent formel en français, le participe présent. C'est pourquoi le traducteur a choisi ici de créer une proposition subordonnée avec un verbe conjugué, qui permet d'éviter la relative lourdeur de la proposition participiale.

the creative heat which at eighteen had nearly consumed me with its gorgeous, relentless flame :: **la fièvre créatrice de mes dix-huit ans dont, infatigable et somptueuse, la flamme avait failli me consumer**

Les transformations les plus remarquables de ce passage sont d'une part, le changement de sujet imposé au verbe ***consume*** : **la flamme** dans le texte français au lieu de ***the creative heat*** dans le texte anglais; et d'autre part l'introduction d'une proposition relative (**dont, infatigable et somptueuse, la flamme...**) qui remplace le groupe prépositionnel introduit par ***with***.

having written down the first few fine paragraphs => **une fois rédigés les tout premiers paragraphes, paragraphes superbes**

Encore une fois, la traduction est moins compacte que le texte anglais, et le mot **paragraphes** a dû être répété car il n'était pas possible d'inclure l'adjectif dans le groupe nominal.

5 Déplacement

Enfin on peut noter que le traducteur a souvent choisi de rendre un élément lexical par un autre mot que la traduction la plus courante qui lui correspond.

Ainsi, dans la première phrase, ***apartments*** se trouve rendu par **logements.** Ce déplacement n'est pas indispensable et la traduction plus littérale par **appartements** aurait été tout aussi valable. La même remarque vaut pour d'autres déplacements comme celui que constitue la traduction à la fin du texte de :

I was out of a job => je me trouvais au chômage

puisque cette proposition pourrait aussi bien être traduite par

j'étais sans travail

En revanche, dans l'expression ***the creative heat***, il est nécessaire de rendre **heat** par autre chose que sa traduction littérale **chaleur**, terme qui n'évoque pas l'enthousiasme du créateur. Le traducteur a choisi l'expression **fièvre créatrice;** on aurait aussi pu utiliser la notion de **feu créateur.**

De même, il était bienvenu de ne pas rendre ***produce*** par **produire** dans le syntagme ***produce the novel***. La traduction retenue, **libérer**, est bien sûr suggérée par l'adjectif **captive**, appliqué au roman en question. Dans un autre contexte, on aurait aussi pu penser tout simplement à **écrire**.

Thème 1

Pour ce premier texte de thème, vous n'êtes pas obligé de traduire directement. Commencez par lire la traduction qui en est proposée, et notez les différences entre les deux textes. Lisez ensuite les commentaires qui suivent.

Plan de travail

I Traduction
II Etude de procédés de traduction

Peut-être était-il enroué

1 La voix du capitaine qui sonnait si haut dans le bureau de la compagnie, naguère, paraissait grêle et faible dans cette forêt.

Peut-être était-il réellement enroué, après la nuit de marche sous la pluie, et ce repos d'une heure contre les talus ruisselants du
5 chemin forestier. Mais ce n'était pas une excuse. C'était même, pour Claude, un grave indice de plus, cette sensibilité du capitaine aux intempéries. Tout était faible : la voix du capitaine, cette ridicule petite offensive afin d'aider la Pologne vaincue d'avance, l'armement des troupes, les fortifications qu'on avait
10 laissées derrière soi, - et, derrière ces fortifications, le pays entier, les foyers des paysans, les cafés des villes, les pensées des gens, leurs rêves, leurs raisons, leurs volontés. Que la force était de l'autre côté, au-delà des forêts qui barraient sans interruption l'horizon, voilà qui était évident et aurait dû crever les
15 yeux du soldat le plus borné.

Henri Thomas, *L'offensive* (in « Histoire de Pierrot »), 1953, Gallimard.

I Traduction

1 The voice of the captain, which had sounded so loud in the company offices a short time ago, seemed thin and weak in this forest. Perhaps he really had been made hoarse by the night's march in the rain and the one-hour rest against the dripping banks of the forest path. But
5 this was no excuse. In fact for Claude, it was yet another telling sign, this sensitivity of the captain's to bad weather. Everything was weak: the captain's voice, the ludicrous little offensive meant as help to Poland, already defeated, the arming of the troops, the fortifications left behind - and, behind these fortifications, the whole country,
10 peasant homes, small-town cafés, and the thoughts, dreams, reason and will of the people. Even the dullest soldier should have realized that all the strength was on the other side, beyond the forests which blotted out the horizon.

translated by Ken Thomson, in *Parallel Text*, 1966, Penguin Books.

II ÉTUDE DE PROCÉDÉS DE TRADUCTION

On voit que le traducteur a estimé nécessaire de procéder à un bon nombre de transformations qu'il est intéressant de comprendre. Les explications qui suivent ne couvrent pas tous les problèmes posés par ce bref extrait, mais ont pour but de vous avertir de certains pièges que le traducteur débutant n'aperçoit pas d'emblée.

Tout d'abord les problèmes concernant les formes verbales, puis ceux que posent certains groupes nominaux, ensuite deux problèmes de constructions et enfin quelques questions de vocabulaire.

1- sonnait => **had sounded**

L'imparfait est traduit par un « past perfect », qui formellement correspond au plus-que-parfait français (auxiliaire **avoir** / ***have*** au passé + participe passé).
Les deux verbes de la phrase, **sonnait** dans la subordonnée relative et **paraissait** dans la principale correspondent à deux moments différents dans le temps : le moment de la narration (**paraissait**) et le moment antérieur où le capitaine était dans le bureau (**sonnait**). L'anglais choisit de montrer explicitement l'antériorité, alors que le texte français la laisse implicite.
Le passage à l'anglais oblige donc à *expliciter* ce qui en français est implicite.

2- Peut-être était-il enroué => **Perhaps he had been made hoarse**

Trois modifications sont impliquées dans cette traduction :

- l'inversion de l'ordre sujet auxiliaire.
- l'introduction d'un passif
- le passage de l'imparfait au past perfect.

Premièrement, on constate que l'inversion due en français à la position de l'adverbe **peut-être** en tête de phrase n'est pas possible en anglais. L'anglais impose de rétablir l'ordre habituel de la proposition affirmative, où le sujet précède le verbe.
Deuxièmement, le traducteur a choisi une construction passive. Ceci s'explique par la difficulté de rendre la préposition **après**. Dans ce contexte en effet, **après** exprime un rapport de cause à effet plutôt qu'une simple succession dans le temps. **Après** a donc une double signification puisqu'il exprime la succession dans le temps et par métaphore, le rapport de cause à

effet. Il faut interpréter la phrase : il était enroué parce qu'il avait marché toute la nuit. C'est pourquoi le traducteur a traduit **après** par ***by*** et introduit en conséquence le verbe ***make***.
Encore une fois, le traducteur, en employant le passif, explicite le sens métaphorique de **après**, qui est sous-entendu en français.
Troisièmement, on constate comme pour la forme analysée ci-dessus une transformation de l'imparfait en « past perfect ». Les raisons en sont cependant différentes. En effet, cette transformation est liée à la passivation. Tandis que le français exprime une situation présente : **être enroué**, l'anglais exprime le processus **devenir enroué** qui a mené à ce résultat. Il est donc normal que le premier emploie l'imparfait, temps de référence de la narration, alors que l'anglais marque l'antériorité du processus par le « past perfect ».

3- le bureau de la compagnie => **the company offices**

C'est un mode de formation très courant groupes nominaux : d'une part les deux noms sont intervertis puisque c'est le déterminant qui précède le déterminé en anglais; d'autre part, les deux noms sont tout simplement juxtaposés sans autre forme de procès, le rapport entre les deux se déduisant entièrement de leurs positions respectives.
La traduction par un pluriel (**offices**)n'est pas indispensable.

4- la nuit de marche => **the night's march**

Dans ce cas, on remarque que les deux éléments **nuit** et **marche** se présentent dans le même ordre qu'en français. Cet emploi du génitif saxon est courant pour l'expression de la durée, comme dans :

> *He took a week's holiday.*
> *They will be back in two months' time.*

On aurait aussi pu écrire :

> *Perhaps he had really become hoarse, what with marching all night...*

5- ce repos d'une heure => **the one-hour rest**

Il s'agit ici aussi d'un groupe nominal dont le complément exprime une durée. Cependant le moyen mis en œuvre en anglais est différent. D'une part les deux éléments sont intervertis. Ensuite, ils sont simplement juxtaposés (pas de 's).

6- [le] chemin forestier => **the forest path**

Comme cela arrive très fréquemment avec des groupes nominaux, l'adjectif français est transformé en nom. On a vu plus haut que la place relative des deux éléments suffisait à indiquer le rapport entre eux. Il n'est pas nécessaire d'ajouter à ***forest*** un génitif saxon ou un suffixe adjectival.

7- les fortifications qu'on avait laissées derrière soi => **the fortifications left behind**

Il aurait été parfaitement possible de ne pas réduire la proposition relative (avec sujet, verbe conjugué) à un complément participial, et de rendre le français par une construction passive :

the fortifications that had been left behind

Le choix de la solution participiale s'explique par le souci d'économie : l'élimination de ***that had been*** n'enlève rien au sens de la phrase, et compensera d'autres passages où la traduction sera plus longue que l'original.

8- Que la force était de l'autre côté, ... , voilà qui était évident et aurait dû crever les yeux du soldat le plus borné => **Even the dullest soldier should have realized that all the strength was on the other side...**

La construction française **Que la force etc., voilà qui aurait dû**... est un cas particulier de thématisation, c'est-à-dire de mise en valeur d'un élément en tête de phrase, que l'on retrouve dans des exemples tels que :

Moi, je suis d'accord.

La répétition de **moi, je** est impossible en anglais et il faut donc soit confier à l'intonation le soin de restituer la valeur de cette repétition (auquel cas, à l'écrit, le pronom ***I*** sera écrit en italiques), soit ajouter un adverbe qui marque le contraste impliqué par **moi, je** entre cette phrase et la précédente. Par exemple :

But I don't agree.

Dans le cas présent, l'élément thématisé est une proposition complète et l'anglais ne peut que rétablir sa place « normale », ce qui revient à intervertir les deux moitiés de la phrase.
Au point de vue stylistique, cet aplatissement de la construction fait sans doute perdre à la phrase une partie de son caractère. Il faut noter de plus que ce changement de construction a amené le traducteur à ne pas traduire l'élément **voilà qui était évident**, qui peut être sous-entendu, puisqu'il repète **aurait dû crever les yeux**. Il peut être dangereux, cependant, de prendre ce genre de libertés avec le texte, dans une traduction universitaire.

9- haut => **loud**

Cet exemple montre qu'il faut se méfier des mots les plus courants, que l'on croit savoir traduire. C'est l'association avec **sonner** bien sûr qui donne un sens particulier à **haut**, et donc impose une traduction divergente.
High correspond bien à **haut** dans son acception la plus courante, mais les deux termes n'ont pas la même distribution métaphorique.

10- naguère => **a a short time ago**

Le risque de faute dans ce cas provient de la mauvaise compréhension très fréquente par les francophones de l'adverbe français **naguère**, souvent pris pour synonyme de **jadis, autrefois**, alors qu'il provient de **il n'y a guère** et signifie **il y a peu de temps**. Notez que ce terme un peu démodé n'a pas de véritable équivalent en anglais, et que le traducteur a dû utiliser une locution explicative. C'est un cas de traduction que vous pourriez trouver par vous-même en la paraphrasant en français.

11- excuse => **excuse**

Le mot français **excuse** est ici traduit par son correspondant le plus direct. Mais si vous aviez eu à traduire :

> Veuillez accepter mes excuses.

vous auriez dû utiliser ***apology*** :

> *Please accept my apologies.*

Vous voyez qu'il s'agit de deux notions qui ne sont pas sans rapport bien qu'elles soient sensiblement différentes. L'anglais distingue les deux notions en deux mots différents alors que le français les confond.

12- intempéries => **bad weather**

C'est un exemple qui montre qu'il est possible dans certains cas de trouver sans dictionnaire la traduction d'un mot qui, au premier abord, pourrait vous désarçonner. Vous connaissez en effet parfaitement les mots qu'emploie le traducteur, mais encore faut-il penser à gloser le français **intempéries**.

13- l'armement => **the arming**

Une grande partie des noms formés par suffixation du verbe en français (**armer/armement, transformer/transformation, assembler/assemblage**) peuvent désigner à la fois le processus, l'action indiquée par le verbe, et le résultat de cette action. Ainsi **armement** sera rendu par ***arms***, ***weapons***, voire ***armaments***, quand il désigne en fait les armes d'un soldat ou d'une armée, mais devra être traduit par le gérondif ***arming*** quand il renvoie au fait que les troupes soient armées, comme c'est le cas ici.

CONCLUSION

Le traducteur doit être sensible à tout ce qui est porté implicitement par les mots du texte à traduire, et qu'il est souvent amené à expliciter dans la langue d'arrivée. C'est pourquoi une traduction est souvent plus longue que le texte de départ.
En particulier, il doit distinguer des usages différents de formes françaises polysémiques (ayant plusieurs significations possibles) qui doivent se rendre différemment en anglais (par exemple ici, l'imparfait ou l'adjectif **haut**).

Maintenant que vous avez étudié les principales divergences entre le texte français et sa traduction, essayez de la reproduire. Puis comparez votre texte avec la traduction qui est donnée.

Version et thème 1

Les deux textes qui suivent (version et thèmes traduits mais non commentés) doivent vous permettre d'appliquer les leçons que vous avez tirées des étapes précédentes. Vous pouvez :

– traduire et confronter votre traduction à celle qui est donnée, ou bien
– analyser directement cette traduction.

The newcomer

1 It was getting dark, but not dark enough for the lights to go on, and through the windows I could still clearly see the garrison church, an ugly late nineteenth-century building made beautiful now by the snow covering its twin towers which pierced the lea-
5 den sky. Beautiful too were the white hills that enclosed my home town, beyond which the world seemed to end and mystery begin. I was half asleep and half awake, doodling, dreaming, occasionally pulling a hair out of my head to keep myself awake, when there was a knock at the door, and before Herr Zimmermann
10 could say *Herein* in came Professor Klett, the Headmaster. But nobody looked at the dapper little man, for all eyes were turned towards the stranger who followed him as Phaedrus might have followed Socrates.
We stared at him as if we had seen a ghost. What struck me and
15 probably all of us more than anything else, more than his self-assured bearing, his aristocratic air and slight, faintly supercilious smile, was his elegance.

Fred Uhlman, *Reunion,* 1971, Collins.

Antoine Buge

1 Germaine Buge n'apportait pas moins d'oranges à son fils, pas moins de bonbons et de journaux illustrés que n'en apportaient aux leurs les autres parents. Pourtant, jamais Antoine n'avait eu comme à l'hôpital le sentiment de sa pauvreté, et c'était à cause
5 des visites. A entendre les parents bavarder au chevet des autres malades, la vie paraissait d'une richesse foisonnante, presque

invraisemblable. Leurs propos évoquaient toujours une existence compliquée, grouillante de frères, de sœurs, de chiens, de chats ou de canaris, avec des prolongements chez les voisins de palier
10 et aux quatre coins du quartier, aux quatre coins de Paris, en banlieue, en province et jusqu'à l'étranger. Il était question d'un oncle Emile, d'une tante Valentine, de cousins d'Argenteuil, d'une lettre venue de Clermont-Ferrand ou de Belgique. Huchemin par exemple, qui à l'école n'avait l'air de rien, était le
15 cousin d'un aviateur et avait un oncle qui travaillait à l'arsenal de Toulon. Parfois on annonçait la visite d'un parent demeurant à la porte d'Italie ou à Epinal. Un jour, une famille de cinq personnes venue de Clichy se trouva réunie autour du lit de Naudin, et il en restait à la maison.

Marcel Aymé, *Les bottes de sept lieues*, 1943, Gallimard.

Traductions 1

Le nouveau

1 Le jour s'assombrissait, mais il ne faisait pas assez nuit pour éclairer la salle et, à travers les vitres, je voyais encore clairement l'église de la garnison, une affreuse construction de la fin du XIXe siècle, pour le moment embellie par la neige recouvrant ses tours jumelles qui transper-
5 çaient le ciel de plomb. Belles aussi étaient les blanches collines qui entouraient ma ville natale, au-delà de laquelle le monde semblait finir et le mystère commencer. J'étais somnolent, faisant de petits dessins, rêvant, m'arrachant parfois un cheveu pour me tenir éveillé, lorsqu'on frappa à la porte. Avant que Herr Zimmermann pût dire : "Herein",
10 parut le professeur Klett, le proviseur. Mais personne ne regarda le petit homme tiré à quatre épingles, car tous les yeux étaient tournés vers l'étranger qui le suivait, tout comme Phèdre eût pu suivre Socrate. Nous le regardions fixement, comme si nous avions vu un fantôme. Probablement tout comme les autres, ce qui me frappa plus que son
15 maintien plein d'assurance, son air aristocratique et son sourire nuancé d'un léger dédain, ce fut son élégance.

Traduction de Léo Lack, *L'ami retrouvé*, 1978 Gallimard.

Antoine Buge

1 Germaine Buge brought her son as many oranges and sweets and picture-papers as the other parents brought their children: nevertheless, Antoine had never been so conscious of his poverty as he was in hospital, and this was because of the visits. To judge by the
5 talk that went on between the other boys and their parents, life was an affair of overflowing and almost unbelievable richness. These conversations evoked pictures of a complicated existence abounding in brothers, sisters, cats, dogs and canaries, and extending to the neighbours over the way, to the uttermost ends of the *quartier*, to the
10 uttermost ends of Paris itself, to the suburbs, to the provinces and even abroad. There was mention of Uncle Emile, of Aunt Valentine, of cousins at Argenteuil, of letters arrived from Clermont-Ferrand or from Belgium. For example Huchemin, who at school didn't amount to anything at all, had a cousin who was an air pilot and an uncle who
15 worked in the arsenal at Toulon. Now and then a relation called who lived at the Porte d'Italie or at Epinal; and one day a family of five came from Clichy to sit around Naudin's bed, and what's more there were more of them at home.

translated by Norman Denny in *Parallel Text*,
1966, Penguin Books.

CHAPITRE 2

L'ordre des mots

2

L'ordre des mots

Exercices 2

Dans tous les exercices de ce chapitre, l'ordre des éléments dans la traduction est différent de celui de la langue de départ.

2-1

One of the basic characteristics of English is that adjectives (or anything that may serve as an adjective) are placed before the nouns they qualify whereas in French they are usually placed after the noun:

un individu bizarre	*a strange fellow*
la maison de ton père	*your father's house*

Now make sure you place the elements in the correct order when translating these expressions:

1 Il a une **montre en or.**
2 Il est venu le **4 juillet.**
3 Je ne suis le patron de personne.
4 As-tu vu la nouvelle **camionette Mercedes** ?
5 Elle entendit la **radio de quelqu'un d'autre.**
6 La machine coûte **64 000 $.**
7 Y-avait-il des dinosaures dans l'**arche de Noé** ?
8 Et ce fut la **première guerre mondiale.**

The same principle applies to the following noun groups but this time, there are more than two elements. Translate:

1 Cela eut lieu pendant la **crise de l'année dernière.**
2 C'est un **pays producteur de pétrole.**
3 Il fait partie d'une **coalition dominée par les communistes.**
4 Il étudie la **peinture de l'Espagne du XVIIe siècle.**
5 La **réforme de la fiscalité par Reagan en 1986** fut un échec.

2-2

Vous venez de voir comment l'anglais forme des groupes nominaux complexes, dont les éléments sont dans l'ordre inverse de celui de l'anglais. Traduisez maintenant les composés anglais suivants qui n'ont pas d'équivalent direct en français.

1 He was a ***melancholy-looking*** old man.
2 There was a ***marble-topped table*** in the garden.
3 He faces a ***drunken-driving charge.***
4 The unions are against the ***performance-related pay scheme***.
5 I was a ***happily-married man*** but somehow there was something missing.
6 Vic waits ***law-abidingly*** for the green light, then presses the accelerator too hard.

2-3

Conversely when translating from French into English you must place the determining noun before the determined noun. In the first five examples, you only need to juxtapose the two nouns: no prepositions or genitives are needed.

1 Il a passé trois mois dans une **école de langues** l'an dernier.
2 Le **taux de natalité** est faible aussi en Italie.
3 Le séisme a atteint cinq sur l'**échelle de Richter**.
4 Le **droit de la famille** est très différent ici.
5 On n'est plus à l'**âge de pierre** !

For the next five examples, use the genitive 'S.

1 Il s'est taillé la **part du lion**.
2 C'est un **jeu d'enfant**.
3 Je me faisais l'**avocat du diable**.
4 Tu préfères le **lait de vache**, n'est-ce pas ?
5 Elle souffre de la **maladie d'Alzheimer**.

2-4

Souvent lorsqu'un verbe est accompagné d'un complément prépositionnel exprimant le résultat de l'action désignée par ce verbe il faudra traduire d'abord ce complément et ensuite le verbe. Par exemple pour rendre :

> *They hurried from the shop*

il faudra écrire :

> Ils quittèrent la boutique en hâte.

Utilisez cette technique pour traduire :

1 'Bye Shirley...' he said, and hurried out of the office.
2 Kennedy swam across the channel.
3 He tiptoed out of the room where the child was sleeping.
4 The room was very dark so he felt his way along the edge of the bed.
5 She puts her breakfast things in the sink, and hurries upstairs.
6 Flora ran straight down the stairs and out of the house.
7 He blundered into the room.
8 Reagan is now limping out of office, irrelevant and ridiculed.

2-5

L'anglais utilise le passif beaucoup plus souvent que le français ; ceci implique qu'en version il faut souvent passer du passif à l'actif et donc inverser l'ordre dans lequel apparaissent le sujet et l'objet de la phrase. Traduisez les phrases suivantes en supprimant le passif :

1 I think we should be told about the dangers of this technology.
2 It remains to be seen whether the authorities will compromise.
3 What they want most is to be told stories.
4 Could he be blamed for being a renegade, a rebel?
5 Schizophrenia cannot be understood without understanding despair. (R. D. Laing)
6 What's this racket? Someone's being murdered in there!
7 I'm not getting the sack. I'm being retired.
8 Henry must be made to realise what she had done.

In order to translate the following sentences idiomatically you must use a passive construction:

1 Elle a reçu le prix Nobel de la paix l'an dernier.
2 Il a dit qu'on ne pouvait rien faire.

3 On m'a dit d'y aller.
4 On pense que le maire s'est enfui au Paraguay.
5 « Je ne savais pas que tu te mariais. — Je ne me marie pas, on me marie . »
6 Il paraît qu'il y a un nouveau produit contre la calvitie.

2-6

One typical feature of French consists in dissociating one element of a sentence from the rest by placing it at the beginning even though it should 'logically' come at the end. In:

> C'est tellement simple, l'amour (J. Prévert)

the real subject is **l'amour** but it comes after the verb. Such constructions cannot be rendered litterally in English, so the 'normal', that is to say more logical order of the words must be restored. That's why this quotation is translated as:

> *Love is so simple.*

How would you go about translating the following sentences?

1 C'est très joli la vie, mais cela n'a pas de forme. (J. Anouilh)
2 Qu'est-ce qu'elle a, cette radio ?
3 M. Pécuchet pourra-t-il venir ?
4 C'est une chose anormale de vivre. (E. Ionesco)
5 C'est lui qui me paye.

2-7

The problem with the following examples is where to put the adverbs. The sentence structure cannot be the same as in French.

1 Elle parle **bien** l'anglais.
2 Le prix des ordinateurs a **beaucoup** baissé.
3 Elle tira **lentement** le rideau.
4 Cet exemple illustre **parfaitement** le problème.
5 Je veux rentrer **un jour** dans la police.
6 Vous travaillez **encore** ici ?
7 Je n'ai pas **encore** fait la vaisselle.

Solutions 2

2-1

1 He's got a gold watch.
2 He came on July 4.
3 I am nobody's boss.
4 Have you seen the new Mercedes van?
5 She heard somebody else's radio.
6 The machine costs $ 64 000.
7 Were there dinosaurs in Noah's Ark?
8 And the first world war broke out.

1 It occurred during last year's crisis.
2 It's an oil-producing country.
3 He belongs to a Communist-dominated coalition.
4 He studies XVIIth-century Spanish painting.
5 Reagan's 1986 tax reform was a failure.

2-2

1 C'était un vieil homme à l'air mélancolique.
2 Il y avait une table avec un plateau de marbre dans le jardin.
3 Il risque d'être inculpé pour conduite en état d'ivresse.
4 Les syndicats sont contre le plan de primes à la productivité.
5 J'étais un homme heureux dans mon ménage mais il me manquait quelque chose, je ne sais pas quoi.
6 En bon citoyen Vic attend que le feu passe au vert, et puis appuie trop fort sur l'accélérateur.

2-3

1 He spent three months in a language school last year.
2 The birth rate has gone down in Italy too.
3 The earthquake registered five on the Richter scale.
4 Family law is very different over here.
5 We're not in the Stone Age any longer.

1 He's taken the lion's share.
2 It's child's play.
3 I was playing devil's advocate.
4 You prefer cow's milk, don't you?
5 She suffers from Alzheimer's disease.

Notez que les composés de cette seconde série sont des composés lexicalisés dont les éléments déterminés sont animés.
De plus, vous devez savoir qu'il existe un certain nombre de composés français N1 de N2 qui doivent se traduire par une structure équivalente avec ***of*** (par exemple **centre de gravité** => ***centre of gravity***) ou avec une autre préposition (par exemple **l'homme de la rue** => ***the man in the street***).

2-4

1 « Au revoir, Shirley ... » dit-il, et il quitta le bureau en hâte.
2 Kennedy a traversé le canal à la nage.
3 Il sortit sur la pointe des pieds de la pièce où dormait l'enfant.
4 La pièce était très sombre et il longea le lit à tâtons.
5 Elle met la vaisselle du petit déjeuner dans l'évier, et se dépêche de monter.
6 Flora dégringola l'escalier et sortit de la maison à toute vitesse.
7 Il entra par mégarde dans la pièce.
9 Maintenant Reagan achève son mandat clopin-clopant, inutile et ridicule.

2-5

1 Je pense qu'on devrait nous expliquer les dangers que présente cette technologie.
2 Ce qui reste à voir, c'est si les autorités seront prêtes à faire des concessions.
3 Ce qu'ils veulent surtout, c'est qu'on leur raconte des histoires.
4 Pouvait-on lui reprocher d'être un renégat, un rebelle ?
5 On ne peut pas comprendre la schizophrénie si l'on ne comprend pas le désespoir.
6 Qu'est-ce que c'est que ce boucan ? Ils sont en train d'assassiner quelqu'un là-dedans !
7 Je ne suis pas vidé. On me met à la retraite d'office.
8 Il fallait faire comprendre à Henry ce qu'elle avait fait.

1 She was awarded the Nobel Prize in 54.
2 He said nothing could be done.
3 I've been told to go.
4 The mayor is thought to have fled to Paraguay.
5 'I didn't know you were getting married.'
'I'm not getting married. I'm being married.'
6 I've been told there was a new product against baldness.

2-6

1 Life is very nice but it has no shape.
2 What's wrong with that radio?
3 Will Mr Pécuchet be able to come?
4 Life is something abnormal.
5 He pays me.

2-7

1 She speaks English well.
2 The price of computers has gone down a lot.
3 She slowly drew the curtain.
4 This example perfectly illustrates the problem.
5 I want to join the police one day.
6 Do you still work here?
7 I haven't done the washing-up yet.

Version 2

Plan de travail

I Instructions
II Traduction proposée
III Analyse de quelques procédés de traduction
IV Comparaison avec une autre traduction possible
V Correction de votre propre traduction

The greeting of heroes

1 Krebs went to the war from a Methodist college in Kansas. There is a picture which shows him among his fraternity brothers, all of them wearing exactly the same height and style collar. He enlisted in the Marines in 1917 and did not return to the United
5 States until the second division returned from the Rhine in the summer of 1919.
There is a picture which shows him on the Rhine with two German girls and another corporal. The German girls are not beautiful. The Rhine does not show in the picture.
10 By the time Krebs returned to his home town in Oklahoma the greeting of heroes was over. He came back much too late. The men from the town who had been drafted had all been welcomed elaborately on their return. There had been a great deal of hysteria. Now the reaction had set in. People seemed to think
15 it was rather ridiculous for Krebs to be getting back so late, years after the war was over.

Ernest Hemingway, *Soldier's Home,*
1924.

I INSTRUCTIONS

Il s'agit des trois premiers paragraphes d'une nouvelle d'Ernest Hemingway, écrite peu de temps après la fin de la Grande Guerre.
C'est un texte d'une grande sobriété, caractéristique du style de son auteur. Le vocabulaire est simple, ainsi que la construction des phrases. Vous n'avez

pas de grande difficulté à le comprendre, mais ceci ne signifie pas qu'il sera facile à traduire. Notez par exemple que ***from*** dans la première phrase, ***until*** dans la troisième, ***time*** au début du troisième paragraphe ne peuvent pas être traduits littéralement.

Le texte contient quelques termes propres à la culture américaine. Il s'agit de :

Methodist: *the largest Protestant denomination in the US.*
a college (here): *an establishment for higher education.*
a fraternity (here): *a society of male students formed for social purposes.*
the Marines: *a particular section of soldiers who are part of the American Navy.*

Il faut impérativement réviser votre texte après l'avoir rédigé afin d'éliminer toute traduction dépourvue de sens en français et toute faute de grammaire. Cette révision est indépendante du texte anglais.
Quand vous avez terminé, mettez votre texte de côté et n'y touchez plus avant d'avoir lu les parties II, III et IV qui suivent.

II TRADUCTION PROPOSÉE

Le retour des héros

1 Krebs était dans une petite université méthodiste du Kansas lorsqu'il partit à la guerre. Il y a une photo où on le voit au milieu des ses camarades de fraternité, et ils portent tous le même col, de la même hauteur et du même style exactement. Il s'engagea dans les Fusiliers
5 Marins en 1917 et ne revint aux Etats-Unis qu'avec le retour de la deuxième division du Rhin au cours de l'été 1919.
Il y a une photo où on le voit sur le Rhin avec deux jeunes filles allemandes et un autre caporal. Les Allemandes ne sont pas belles. On ne voit pas le Rhin sur la photo.
10 Lorsque Krebs rentra enfin dans sa ville de l'Okahoma, on avait fini de célébrer le retour des héros. Il revenait beaucoup trop tard. Les hommes qui avaient été appelés avaient tous accueillis en grande pompe à leur retour. Il y avait eu beaucoup de scènes déchirantes. Maintenant le vent avait tourné. On aurait dit que les gens
15 trouvaient que Krebs était bien ridicule de revenir si tard, des années après la fin de la guerre.

III Analyse de quelques procédés de traduction.

1- Krebs went to the war from a Methodist college in Kansas => **Krebs était dans une petite université méthodiste du Kansas lorsqu'il partit à la guerre.**

Il est indispensable de renverser l'ordre des deux propositions parce qu'il n'y a pas de traduction correcte de ***from*** dans cet emploi.

2- the same height and style collar => **le même col, de la même hauteur et du même style exactement.**

L'expression pose un problème de compréhension. Il faut voir que ***height*** et ***style*** sont en position d'adjectifs par rapport à ***collar*** qu'ils qualifient.

3- The Rhine does not show => **On ne voit pas le Rhin**

Un certain nombre de verbes anglais (sell, read, prove, show ...) peuvent par glissement de sens prendre une valeur de passif. Du fait que les verbes français correspondants ne peuvent pas prendre cette valeur, il faut remettre le sujet : ***the Rhine*** à sa place « logique » de complément d'objet.
Notez que l'on aurait pu envisager une traduction par **se voir** (cf. se vendre, se lire, s'avérer ...) forme pronominale à valeur passive, mais que ce choix n'est pas conseillé ici.

4- the greeting of heroes was over => **on avait fini de célébrer le retour des héros**

Là encore une inversion est nécessaire. En effet il n'existe pas, pour traduire le nom verbal ***greeting***, de nom français qui permette une bonne traduction. On doit donc transformer ce nom en verbe, **célébrer** et lui donner un sujet. **Héros** fait alors partie du groupe nominal objet, alors que l'anglais ***heroes*** faisait partie du groupe nominal sujet.
Cette inversion en entraîne une autre. Dans la phrase anglaise, la préposition ***over*** se trouve après ***greeting*** : convertie en verbe (**finir**) elle se trouve dans la phrase française avant l'équivalent de ***greeting*** (**célèbrer**).

5- ...it was rather ridiculous for Krebs to be getting back so late => **...Krebs était bien ridicule de revenir si tard**

Le traducteur a choisi ici une construction personnelle (sujet Krebs) pour rendre une construction de type impersonnelle (sujet ***it***). Cela implique une inversion du sujet réel ***Krebs*** et de l'adjectif attribut ***ridiculous***.

Notez que cette transformation n'est pas indispensable, comme le montre la seconde traduction proposée plus loin. Il faut que vous preniez l'habitude *d'envisager* plusieurs solutions et de ne choisir qu'ensuite.

IV Comparaison avec une autre traduction possible

1 Krebs quitta une petite université méthodiste du Kansas pour partir à
la guerre. Une photo le montre parmi ses condisciples de la « fraternité », tous portant un col de hauteur et de style absolument identiques.
Il s'engagea dans les Fusiliers Marins en 1917 et ne revint aux Etats-
5 Unis que lorsque la deuxième division quitta le Rhin pour rentrer, l'été
de 1919.
Une photo le montre sur le Rhin avec deux jeunes Allemandes et un
autre caporal. Les Allemandes ne sont pas belles. Et on ne voit pas le
Rhin sur la photo.
10 Quand Krebs revint enfin chez lui en Oklahoma, on en avait fini de
fêter les héros. Il revenait beaucoup trop tard. Ceux de la ville qui
avaient été appelés sous les drapeaux avaient tous été fêtés en grande
pompe. Il y avait eu beaucoup d'hystérie dans l'air. Maintenant, le
vent avait tourné. C'était comme si les gens pensaient qu'il était un peu
15 ridicule de la part de Krebs de rentrer si tard, des années après la guerre.

Les variantes qui suivent peuvent être considérées comme aussi bonnes l'une que l'autre. Elles diffèrent en ce qu'elles sont plus ou moins proches de la lettre du texte de départ.

1- There is a picture which shows him... =>
Il y a une photo où on le voit ...
Une photo le montre...
La seconde traduction est moins littérale.

2- his home town in Oklahoma =>
sa ville de l'Oklahoma
chez lui en Oklahoma
La seconde traduction est moins littérale.

3- People seemed to think =>
On aurait dit que les gens trouvaient
C'était comme si les gens pensaient
Dans les deux cas, le sujet choisi est impersonnel.

4- years after the war was over =>
des années après la fin de la guerre
des années après la guerre.
Il n'est en effet pas indispensable de traduire ***over***, qui peut être déduit du contexte.

V Correction de votre propre traduction

Corrigez votre propre traduction. Ceci veut dire :

Chaque fois que votre traduction est différente de celles proposées ici, décidez s'il s'agit d'une variante acceptable ou d'une erreur de votre part. Vous ne parviendrez pas à répondre à cette question dans chaque cas, mais la poser est une manière d'exercer votre jugement, et donc d'être meilleur la fois suivante.

Chaque fois que vous aurez reconnu une erreur, déterminez si :
– vous aviez mal compris *l'anglais*,
– vous n'aviez pas trouvé la bonne tournure *française*.
Il serait normal que vous ne parveniez pas à placer *toutes* vos erreurs dans l'une ou l'autre catégorie. En effet, nombre d'erreurs sont le résultat conjugué d'une mauvaise compréhension de l'anglais et d'une maladresse d'expression en français.

Enfin, cherchez à cerner plus précisément la nature de vos erreurs. Voici une liste de possibilités :

Concernant la compréhension de l'anglais :
contre-sens : ce que vous avez écrit contredit l'information donnée par le texte original (ex : si vous avez cru que 'the reaction had set in' signifiait : « la réaction se faisait de plus en plus vive »).
faux-sens : vous n'avez pas compris un élément mais la traduction que vous avez donnée ne contredit pas le texte. C'est la faute la plus courante et elle est de gravité très variable.

Concernant l'expression en français :
non-sens : ce que vous avez écrit est dépourvu de sens ; cela ne veut pas dire que vous ne savez pas parler français, mais que vous avez été aveuglé par la forme de l'expression anglaise à traduire.
barbarisme : on ne dit pas cela en français (un mot qui n'existe pas, un article singulier suivi d'un nom pluriel, une construction que vous avez inventée malgré vous).

grammaire : vous connaissez mal vos conjugaisons, les participes passés n'ont pas été accordés correctement etc.
impropriété, maladresse : cela ne se dit pas, ou pas tout à fait comme cela.
orthographe : faute d'orthographe non grammaticale (ex : redoublement de consonnes).
sous-traduction : votre traduction omet de rendre une partie du sens de l'anglais. Par exemple, si vous traduisez :

> *He twitched it out of her hands.*
> Il le lui a pris des mains.

Vous ne précisez pas la façon brusque dont il a agi. Il faudrait traduire par **arracher**.
sur-traduction : votre traduction ajoute des éléments qui ne sont pas présents dans le texte de départ.

> *He took it out of her hands.*
> Il le lui a arraché des mains.

Il faut noter cependant que le traducteur, qui doit scruter le texte pour en percevoir toutes les résonances, associations et allusions implicites, est souvent amené à expliciter ce qui est sous-entendu soit pour des raisons de clarté, soit parce que le sous-entendu est une partie aussi importante de la signification que ce qui est dit en toutes lettres.

Thème 2

Plan de travail

I Instructions
II Traductions proposées
III Analyse de quelques variantes exemplaires
IV Correction de votre propre traduction

L'excuse était faible

1 — ... Est-ce que vos sœurs savent que vous venez ici ?
— Mais ...
Il ne savait que répondre. Il se demandait ce que les gens pouvaient raconter sur son compte. Sans doute tout le monde savait-
5 il que c'était Céline, surtout, qui dirigeait la maison, et qu'elle n'était pas toujours commode. Certains devaient se moquer de lui.
Quant à la vieille histoire, son aventure avec Germaine, toute la ville avait été au courant.
10 — ... Elles le savent, oui ...
— Et elles ne vous demandent pas ce que vous venez faire ?
C'était peut-être un moyen pour elle-même de poser la question.
— Non ... Elles n'ignorent pas que j'aime les enfants et que je n'en ai pas ...
15 Il ne trouvait que cela à dire. L'excuse était faible.
— Votre sœur Marthe va en avoir un, n'est-ce pas ?
— Je vois que vous connaissez la famille ...
— Comme tout le monde ... Quand mon fils a été tué, j'ai dû aller plusieurs fois au commissariat et M. Gloaguen a été très
20 gentil ... Un moment, il a cru qu'on avait retrouvé l'automobile, mais c'était une voiture de Paimpol qui n'est pas sortie de son garage ce jour-là ...

Georges Simenon, *Les demoiselles de Concarneau*,
1936, Gallimard.

I INSTRUCTIONS

Vous avez lu le texte une première fois. Lisez le à nouveau en soulignant les éléments qui peuvent poser problème, puis lisez les avertissements qui suivent.

1- Il n'est pas possible de traduire littéralement
sur son **compte**
ce que vous venez faire
son **aventure** avec Germaine
elles **n'ignorent** pas

2- Problèmes de temps
Ce sont les formes verbales qui doivent retenir votre attention en priorité.
vous venez : une traduction littérale (par un présent simple) est-elle possible ? est-elle la meilleure ?
a été tué, a été gentil, a cru : peut-on traduire littéralement ces passés composés, c'est-à-dire par le « present perfect » ?

en français	auxilaire **avoir** + participe passé
en anglais	auxiliaire ***have*** + participe passé

...n'est pas sortie ce jour-là : la question est la même concernant cet autre passé composé, mais le problème devra être résolu différemment.

3- Problèmes de modalité
Les adverbes français **sans doute**, **peut-être** peuvent être traduits par des verbes modaux.
J'ai dû est une forme ambiguë en français. Comparez :

Comment se fait-il qu'il ne soit pas arrivé ? Il a dû rater le train.
C'était tellement mauvais que j'ai dû tout refaire.

Ces deux interprétations correspondent à deux traductions distinctes en anglais.

À vous maintenant de faire la traduction : essayez d'abord de traduire le maximum sans utiliser le dictionnaire du tout, quitte à laisser des blancs. Ensuite, complétez et rectifiez à l'aide du dictionnaire. Ne laissez aucun blanc et ne négligez ni l'orthographe, ni la ponctuation.

II Traductions proposées

Lisez en même temps les deux corrigés suivants et soulignez toutes les différences dans la seconde traduction:

Not much of an excuse

"Do your sisters know that you come here?"
"But ..."
He didn't know what to answer. He wondered what people could be saying about him. No doubt everyone knew that it was Céline, in particular, who ran the house, and that she was not always easy-going. Some people were probably laughing at him. As for the *old story* , his affair with Germaine, everyone in the town had known about it.
"...They know , yes ..."
"And they don't ask you why you come here?"
Perhaps it was a way for her to find out herself.
"No...They know I love children and that I don't have any ..."

That was all he found. The excuse was poor.
"Your sister Marthe is going to have one, isn't she?"
"I see you know all about our family ..."
"...like everybody else... When my son was killed, I had to go to the police station several times and Mr Gloaguen was very kind. For a while, he thought the car had been found, but it was a car from Paimpol which had not been out of its garage that day."

'Do your sisters know that you've been coming here?'
'Er ...'
He didn't know what to say. He was wondering what people might be saying about him. Everybody must know that it was mostly Céline who ran the household, and that she was not always easy to handle. Some people must be laughing at him. As for the *old story* , his affair with Germaine, the whole town had heard about it.
'...Yes, they know.'
'And they don't ask you what you come here for?'
It may have been her way of finding out.
'No they don't... Of course they know I love children and that I don't have any of my own...'
He couldn't find anything else to say. It wasn't much of an excuse.
'Your sister Marthe is expecting a child, isn't she?'
'I can see you are well-informed about our family ...'
'...No more than anyone else ... When my son was killed, I had to go to the police station several times and Mr Gloaguen was very nice. At one point, he thought the car had been traced, but it was a car from Paimpol which had not left its garage that day.'

On peut dire que la première traduction est « minimaliste », en ce sens qu'elle s'écarte aussi peu que possible de la lettre du texte français. La seconde demande une plus grande connaissance de l'anglais et les tournures qu'elle utilise sont dans la plupart des cas préférables à celles de la première, acceptables mais moins idiomatiques.

Bien que toutes deux correctes, ces deux traductions présentent de nombreuses variantes. Il en existe d'ailleurs encore d'autres qui ne sont pas indiquées ici. Un certain nombre de ces variantes sont parfaitement équivalentes, par exemple :

> *He didn't know what to answer* / *he didn't know what to say;*
> *everbody* / *everyone;*
> *They know, yes* / *Yes, they know;*
> Mr *Gloaguen was very kind* / Mr *Gloaguen was very nice...*

D'autres variantes ne sont pas tout à fait équivalentes et il est intéressant d'en analyser quelques-unes.

III Analyse de quelques variantes exemplaires

1- ...que vous venez ici ? =>
...that you come here?
...that you've been coming here?

Le présent français suppose que que le personnage en question venait régulièrement (dans le cas contraire on aurait eu : savent-elles que vous êtes venus ici ?). Or l'anglais offre la possibilité d'exprimer cet état de fait avec le « present perfect » continu. En choisissant cette solution vous explicitez ce qui est sous-entendu en français.

2- Sans doute tout le monde savait-il =>
No doubt everyone knew
Everybody must know

Le système des verbes modaux anglais est très couramment utilisé et n'a pas de véritable équivalent en français. Il est donc préférable de convertir l'adverbe français **sans doute** en verbe.
Notez que l'on aurait aussi pu avoir ***Everybody must have known***, plus « logique » puisque la situation est passée. Cette dernière possibilité n'est cependant pas préférable, parce qu'elle est plus lourde.

3- Certains devaient se moquer de lui =>
Some people were probably laughing at him
Some people must be laughing at him

Cas semblable au précédent, à cette différence près qu'au départ la modalité est exprimée en français grâce au verbe **devoir** (forte probabilité) et non grâce à un adverbe.

4- C'était peut-être un moyen pour elle de poser la question =>
Perhaps it was a way for her to find out.
It may have been her way of finding out.

Là encore le verbe modal anglais doit être envisagé. Notez qu'ici l'infinitif passé ***have been*** est obligatoire car le passé ne peut être sous-entendu comme dans les formes verbales précédentes.

5- Il ne trouvait que cela à dire =>
That was all he found
He couldn't find anything else to say

La seconde solution emploie la technique du contraire négativé : ***all / anything else + not***. En l'occurence cependant la première n'est pas moins bonne.

6- Comme tout le monde =>
Like everybody else
No more than anyone else

A nouveau la technique du contraire négativé : ***everybody else / anyone else + not***. Les deux traductions sont équivalentes.

IV CORRECTION DE VOTRE PROPRE TRADUCTION

Procédez pour le thème comme pour la version. Plutôt que de barrer simplement ce qui dans votre texte ne correspond pas à l'un ou l'autre des deux corrigés proposés ici, distinguez d'abord ce que vous savez maintenant avec certitude être faux, et essayez de comprendre ce qui vous a induit en erreur : une mauvaise analyse de la construction de la phrase, une erreur sur le temps, le verbe modal, l'article etc..
À partir de cette analyse, même incomplète – comme elle le sera nécessairement –, vous pourrez établir une liste de vos faiblesses et :
– y remédier en voyant dans une grammaire les points correspondants,
– vérifier chacun de ces points vulnérables au cours de la prochaine traduction.

Version et thème 2

My fellow-men

1 For thirty years now I have been studying my fellow-men. I do not know very much about them. I should certainly hesitate to engage a servant on his face, and yet I suppose it is on the face that for the most part we judge the persons we meet. We draw 5 our conclusions from the shape of the jaw, the look in the eyes, the contour of the mouth. I wonder if we are more often right than wrong. Why novels and plays are so often untrue to life is because their authors, perhaps of necessity, make their characters all of a piece. They cannot afford to make them self-contra-10 dictory, for then they become incomprehensible, and yet self-contradictory is what most of us are. We are a haphazard bundle of inconsistent qualities. In books on logic they will tell you that it is absurd to say that yellow is tubular or gratitude heavier than air; but in that mixture of incongruities that makes up 15 the self yellow may very well be a horse and cart and gratitude the middle of next week. I shrug my shoulders when people tell me that their first impressions of a person are always right. I think they must have small insight or great vanity. For my own part I find that the longer I know people the more they puzzle me: my 20 oldest friends are just those of whom I can say that I don't know the first thing about them.

Somerset Maugham, *A friend in need,*
1951, Heinemann Ldt.

Un sceptique

1 Ce matin, j'ai demandé à papa ce qu'il reprochait à Robert. Il m'a longuement regardée et a d'abord serré les lèvres sans rien dire, puis :
— Mon enfant, je ne lui reproche rien. Simplement, il ne me plaît
5 pas. Si je te disais pourquoi, tu protesterais, parce que tu l'aimes ; et quand on aime quelqu'un, on ne le voit plus comme il est.
— Mais c'est parce que Robert est comme il est, que je l'aime! — me suis-je écriée.
— Robert donne le change à l'abbé, à ta mère, à toi, et, je le
10 crains bien, à lui-même aussi ce qui est encore plus grave!
— Tu veux dire qu'il ne croit pas ce qu'il dit ?
— Mais si, mais si ; je crois qu'il y croit. C'est moi qui n'y crois pas.
— D'abord, toi, papa, tu ne crois à rien.
15 — Que veux-tu ? Je suis ce que ta mère appelle un sceptique.
Et nous en restons là, car de telles conversations ne servent qu'à nous attrister tous les deux. Pauvre papa ! Je compte sur Robert pour le convaincre... avec le temps. Il se montre avec papa si patient, si souple, si adroit...

André Gide, *L'école des femmes,* 1929, Gallimard.

Propositions de traduction 2

Mes semblables

1 Voilà trente ans que j'observe mes semblables. Je ne sais pas grand-
chose à leur sujet. J'hésiterais beaucoup à engager un domestique
d'après sa physionomie, et cependant je crois que c'est surtout d'après
la physionomie que nous jugeons les gens que nous rencontrons. Nous
5 tirons nos conclusions à partir de la forme de la mâchoire, de
l'expression du regard, du dessin de la bouche. Je me demande si nous
voyons juste plus d'une fois sur deux. Si les romans et les pièces de
théâtre sont si rarement conformes à la réalité, c'est que leurs auteurs
coulent leurs personnages d'un seul tenant, peut-être parce qu'ils ne
10 peuvent faire autrement. Ils ne peuvent pas leur permettre de se
contredire, car alors ils seraient incompréhensibles, et pourtant, la
plupart d'entre nous se contredisent. Nous sommes un fatras inco-
hérent de qualités disparates. Les livres de logique nous racontent
qu'il est absurde de dire que le jaune est tubulaire ou que la gratitude
15 est plus lourde que l'air. Mais pour cet amalgame d'incongruités qui
composent le moi, il se peut très bien que le jaune soit un cheval
tirant une charrette, et que la gratitude soit le milieu de la semaine
prochaine. Je hausse les épaules quand les gens me disent que leurs
premières impressions ne les trompent jamais. Je me dis qu'il faut
20 qu'ils soient ou très peu perspicaces ou très prétentieux. Pour ma part,
je me rends compte que plus je connais les gens, plus ils me laissent
perplexe : mes plus vieux amis sont précisément les personnes dont je
peux dire que je ne sais pas la moindre chose sur eux.

A sceptic

1 This morning I asked Daddy what he didn't like about Robert. He looked at me for a long while, first set his lips without saying anything, and then replied:
'My child, I don't find anything wrong with him. It's simply that I
5 don't like him. If I told you why, you'd protest because you love him — and when one loves someone, one no longer sees him as he is.'
'But I love Robert because he is the way he is,' I exclaimed.
'Robert fools the priest, your mother and you — and also himself, I'm afraid, which is even more serious!'
10 'Are you saying that he doesn't believe what he says?'
'Of course he does, I think he does believe it. But I don't.'
'In any case, you don't believe in anything, Daddy.'
'What can I do about it? I am what your mother calls a sceptic.'
And we leave it at that, for such conversations only make us both sad.
15 Poor Daddy! I am counting on Robert to convince him... eventually. He is so patient with Daddy, so flexible, so shrewd ...

CHAPITRE 3

La conversion

3
La conversion

Exercices 3

Les exercices de ce chapitre portent tous sur le procédé de conversion, qui consiste à traduire un mot appartenant à une classe donnée (nom, verbe, adjectif…) par un mot d'une autre classe.

3-1

Un des procédés les plus couramment employés par le traducteur consiste à traduire un mot appartenant à une classe de mots donnée (verbe, nom, adjectif ...) par un mot d'une autre classe : on appelle ce procédé la conversion. Par exemple :

There was a ***knock*** *on the door.*

se rendra par

On **frappa** *(à la porte).*

Traduisez les noms anglais suivants par des verbes français :

1 There was a lot of ***talk*** in the dormitory after dinner.
2 The nuclear reactor had, what's the ***word***, gone critical.
3 I want a close ***watch*** kept on him all the time.
4 "No that's not what I said, you haven't got my ***meaning*** at all".
5 I couldn't concentrate, my ***mind*** was on other things.
6 Brains are all very well but a fellow wants a bit of ***fun*** sometimes.

3-2

Vous savez maintenant que des noms anglais doivent être quelquefois traduits par des verbes en français. C'est en particulier le cas de certains noms formés en ajoutant le suffixe -ER à des verbes courants, et qui n'ont pas toujours d'équivalent dans notre langue. Par exemple :

> *He's an early riser.*
> Il se lève de bonne heure.

Traduisez :

1 I used to be a regular theatre-***goer*** but now that I live in the country...
2 'I think you're making a mistake,' I said.
'Maybe,' Brunswick murmured. 'But I'm a good ***guesser***...'
3 I've never been much of a ***believer*** in book learning.
4 Even as a child Otto had not been such a ***frequenter*** of the cascade.

3-3

Inversement il peut être nécessaire ou commode de traduire un verbe anglais par le nom correspondant français. Traduisez les phrases suivantes :

1 What do you ***specialize*** in? What kind of medecine?
2 Unhappiness is best ***defined*** as the difference between our talents and our expectations. (E. de Bono).
3 The law, as it stands, ***restricts*** trade.

Dans les exemples qui suivent, les verbes ont la particularité de pouvoir être traduits soit littéralement, soit par les noms qui leurs correspondent.

4 I'll tell Mr Skinner as soon as he ***gets back***.
5 As the election ***approaches,*** the P.M. is getting more and more edgy.
6 His company may go bankrupt; if that ***happens***, I stand to lose an awful lot.
7 She arrived hours after the performance ***had started.***

3-4

Il est très courant de convertir un adjectif en verbe. Cette transformation est obligatoire dans les exemples suivants :

1 I thought we had the ***wrong*** house for a moment!
2 Why should we be ***worried*** about the ozone layer?
3 He drank and was ***sick*** all over the floor.
4 This new experiment has been very ***successful.***
5 Could you be more ***specific*** about this last point?

3-5

Le système des prépositions et particules adverbiales anglaises (in, at, for etc...) permet une grande économie d'expression. Le français doit souvent transformer ces mots-clé en verbes, par exemple, comme dans les phrases suivantes.

1 The press reported that the two men were to be allowed ***out*** tonight.
2 'Someone to see you sir.' 'All right, show him ***in***.'
3 I want my old job ***back.***
4 Why don't you show our friends ***round*** the house?
5 He reached ***for*** the key but it was too late.
6 The best solution is to play ***for*** time and see how the situation develops.

3-6

In this exercise you have to find the kind of conversion that is necessary. There may be more than one solution.

1 Comment **t'appelles**-tu ?
2 Tu vas faire des **études** de médecine ?
3 J'ai eu une **promotion.**
4 Vous avez un chien à **vendre** ?
5 Ne bougez pas, je suis **armé.**
6 Cela n'aurait pas de **sens.**
7 Auriez-vous l'**amabilité** d'éteindre votre cigarette ?

3-7

A lot of French noun phrases formed on the pattern: **noun + adjective** must be translated as **noun + noun** combinations. To put it another way, the French adjective has to be converted into a noun, even if the corresponding adjective does exist in English. For instance **déficit budgétaire** is ***budget deficit*** in English; the adjective **budgetary** does exist but cannot be used in this context. Now have a go at the following compounds:

1 L'année scolaire est de plus en plus longue.
2 L'industrie touristique est en récession.
3 Nous avons vu une exposition florale à Hambourg.
4 Le marché monétaire a beaucoup changé.
5 Le deuxième choc pétrolier eut lieu en 1979.

3-8

The same technique must be used about the following noun phrases. In these examples however the French adjective is based on a Latin root-word. For instance, the translation for the French adjectif **canin** in **exposition**

canine is ***dog***: ***a dog show***. The English nouns that you must find to translate these adjectives are very common.

1 Il y avait plusieurs témoins oculaires.
2 Les forces de l'ordre utilisèrent du gaz lacrymogène.
3 Est-ce que vous avez fait votre arbre généalogique ?
4 Il est responsable des prévisions météorologiques sur la deuxième chaîne.

3-9

All of the following sentences include a phrase formed on the pattern **avoir + nom**. Their equivalents in English are formed on the pattern ***be + adjective***.

1 Est-ce que tu as froid ?
2 J'ai eu beaucoup de chance.
3 Il est évident que tu as tort.
4 La maison a dix mètres de haut.
5 On dirait qu'il a des ennuis.

3-10

You may already have noticed that possessive adjectives are needed in English in French constructions including personal pronouns. For instance:

> Je **me** suis cassé la jambe en skiant
>
> becomes
>
> *I broke* ***my*** *leg while skiing.*

Apply the same transformation to translate the following sentences:

1 Tu ferais mieux de **te** laver les dents.
2 Je **me** suis fait couper les cheveux.
3 Ils refusèrent de **se** raser la barbe.
4 Oh, Johnny Johnny, tu **me** brises le cœur !
5 Tout d'un coup le mot juste **m**'est venu à l'esprit.

Solutions 3

3-1

1 On a beaucoup bavardé au dortoir après le dîner.
2 Le réacteur nucléaire était, comment dire / comment dit-on / comment dirais-je, dans un état critique.
3 Je veux qu'on le surveille de près jour et nuit.
4 Non ce n'est pas ce que j'ai dit, tu n'as pas du tout compris ce que je voulais dire / tu ne m'as pas du tout compris.
5 Je ne pouvais pas me concentrer, je pensais à autre chose.
6 Le travail intellectuel c'est bien joli, mais on a besoin de s'amuser / se détendre / se distraire un peu de temps en temps.

Notes :

– exemple 2 : c'est en fait toute l'expression ***what's the word*** qui est convertie, puisque ***what*** devient obligatoirement **comment** dès que l'on emploie un verbe en français.
– exemple 5 : on peut aussi traduire par : **j'avais l'esprit ailleurs**, auquel cas il n'y a plus de conversion.
– exemple 6 : la conversion du nom ***fun*** en verbe entraîne une autre conversion celle du quantifieur ***a bit of*** en adverbe **un peu**.

3-2

1 J'allais régulièrement au théâtre mais maintenant que j'habite à la campagne…
2 « Je crois que vous faites erreur, dis-je.
- Peut-être, murmura Brunswick, mais d'habitude je devine juste. »
3 Je n'ai jamais tellement cru qu'on pouvait apprendre grand-chose dans les livres.
4 Même lorsqu'il était enfant, Otto ne fréquentait pas tellement la cascade.

3-3

1 Quelle est votre spécialité ? Quelle genre de médecine ?
2 La meilleure définition du malheur, c'est la différence entre nos talents et nos aspirations.
3 Dans son état actuel / Telle qu'elle est, la loi fait obstacle / est une entrave au commerce.
4 Je le dirai à M. Skinner dès son retour / dès qu'il rentrera.
5 À l'approche de l'élection / Alors que l'élection approche, le premier ministre est de plus en plus nerveux.

6 Il se peut que son entreprise fasse faillite; dans ce cas / si cela arrive, je risque de perdre énormément.
7 Elle arriva des heures après le début de la représentation / après que la représentation eut commencé.

3-4

1 J'ai cru un moment qu'on s'était trompés de maison.
2 Pourquoi s'inquiéter au sujet de la couche d'ozone ?
3 Il a bu et il a vomi partout.
4 Cette nouvelle expérience a très bien réussi.
5 Pourriez-vous préciser ce dernier point ?

3-5

1 La presse rapporta que les deux hommes devaient être autorisés à sortir ce soir.
2 « Il y a quelqu'un qui veut vous voir, monsieur.
— Bien, faites le entrer »
3 Je veux retrouver mon ancien travail.
4 Pourquoi est-ce que tu ne fais pas visiter la maison à nos amis ?
5 Il essaya d'atteindre la clé, mais c'était trop tard.
6 La meilleure solution, c'est d'essayer de gagner du temps et de voir comment la situation évolue.

3-6

1 What's your name?
2 Are you going to study / read medecine?
3 I've been promoted.
4 Have you got a dog for sale?
5 Don't move, I've got a gun.
6 It wouldn't mean anything / It would be meaningless.
7 Would you be kind enough to put out your cigarette?

3-7

1 The shool year is longer and longer.
2 The tourist industry is in a recession.
3 We visited a flower show in Hamburg.
4 The money market has changed a lot.
5 The second oil crisis / oil shock took place in 1979.

3-8

1 There were several eye witnesses.
2 The police used tear gas.
3 Have you drawn your family tree?
4 He's in charge of the weather forecasts on Channel Two.

3-9

1 Are you cold?
2 I was very lucky.
3 You are obviously wrong.
4 The house is ten meters tall / high.
5 He seems to be in trouble.

3-10

1 You'd better brush your teeth.
2 I had my hair cut.
3 They refused to shave their beards.
4 Oh Johnny, Johnny, you're breaking my heart!
5 Suddenly the right word came to my mind.

Version 3

Plan de travail

I Instructions
II Analyse d'erreurs
III Traduction proposée
IV Étude de procédés de traduction

Walking the dog

1 Whenever Henry Wilt took the dog for a walk, or, to be more accurate, when the dog took him, or, to be exact, when Mrs Wilt told them both to go and take themselves out of the house so that she could do her yoga exercises, he always took the same route.
5 In fact the dog followed the route and Wilt followed the dog. They went down past the Post Office, across the playground, under the railway bridge and out on to the footpath by the river. A mile along the river and then under the railway line again and back through streets where the houses were bigger than Wilt's
10 semi and where there were large trees and gardens and the cars were all Rovers and Mercedes. It was here that Clem, a pedigree Labrador, evidently feeling more at home, did his business while Wilt stood looking around rather uneasily, conscious that this was not his sort of neighbourhood and wishing it was.

Tom Sharpe, *Wilt,* 1976, Martin Secker and Warburg Ltd.

I Instructions

Ce texte ne présente pas de difficulté de compréhension majeure, mais pose néanmoins bon nombre de problèmes de traduction.

1 Identifiez les expressions dont le sens ne vous paraît pas évident. Tentez de les comprendre à l'aide du contexte.
2 Commencez par traduire de tête, sans rien écrire.
3 Rédigez entièrement votre traduction, sans ratures, sans blancs, sans double traduction (il faut choisir). A ce stade, il est préférable d'utiliser le dictionnaire le moins possible .

II Analyse d'erreurs

Les explications qui suivent concernent des fautes commises par des étudiants de votre niveau. Vous n'avez peut-être pas fait les mêmes mais sans doute en avez-vous commis du même type. Leur analyse vous permettra de démonter le mécanisme de vos propres erreurs.

1- when Mrs Wilt told them both to go and take themselves out of the house ≠
lorsque Mme Wilt leur disait à tous les deux de quitter la maison

Traduire ainsi, c'est ignorer que ***tell someone to do something*** est plus proche de ***order someone to do something*** que de ***ask someone to do something***. L'intention de l'auteur dans la première phrase de ce roman est de montrer le rapport de force entre Wilt et sa femme. Cette faute est donc un exemple de *sous-traduction*. La traduction proposée, même si elle rend une bonne partie du sens de l'expression anglaise, efface complètement cette intention. *Elle ne traduit pas l'implicite du texte*.
Il faudra donc quelque chose de plus énergique.

2- the playground ≠
l'aire de jeu

est une expression à caractère technique, employée par les ingénieurs ou les administrations mais qui ne convient pas au style simple et naturel de l'auteur. *C'est une faute de registre de langue*.
Certains ont pensé pouvoir traduire par **cour de récréation**. Mais d'ordinaire la cour de récréation se trouve à l'intérieur d'une école et les promeneurs ne la traversent pas. *C'est une faute de bon sens*.

3- feeling more at home ≠
se sentant davantage à la maison

Cette traduction littérale est *très maladroite parce qu'obscure*.
Il faut en effet apercevoir que l'expression ***at home*** doit être pris ici au sens figuré et non littéralement. Elle a ici le même sens que dans l'expression ***Make yourself at home*** (**= faites comme chez vous**) que l'on adresse à un invité, c'est-à-dire à quelqu'un qui justement, n'est pas chez lui. L'expression française **à la maison** ne peut pas prendre ce sens dérivé.

4- did his business ≠
faisait son affaire

Traduction littérale, *dépourvue de sens*. Une autre traduction erronée, **montait la garde** est contraire au contexte, mais n'est pas en soi dépourvue de sens. Pour éviter ce genre de faute, il faut :

- prendre du recul par rapport au français et se demander ce que veut dire **faire son affaire.** On dit en effet **faire son affaire à quelqu'un** ou encore **ça fait mon affaire** ou **faire affaire** ou **faire une affaire** ou **faire des affaires. Il faisait son affaire** cependant, n'existe pas.
- pour trouver la bonne expression, imaginer la scène (d'où l'utilité d'une lecture attentive préalable à toute traduction) et poser la question : pourquoi sort-on un chien ? Pour qu'il *fasse ses besoins*.

L'expression anglaise est un bon exemple d'« understatement » (litote). Les conventions imposent qu'on ne parle qu'indirectement de certains sujets tabous, fussent-ils aussi inoffensifs que celui-ci. On pouvait envisager de traduire par **il levait la patte**, qui présente l'intérêt de renvoyer indirectement à 'la chose' comme l'anglais, et compte tenu que le chien est mâle (***his** **business***) ; cette traduction n'est guère possible cependant du fait que l'inquiétude manifestée par le maître suppose que le chien n'était pas seulement en train de « lever la patte ».

5- while Wilt stood looking around... ≠
pendant que Wilt restait debout à regarder ...

C'est un cas de *sur-traduction*. ***Stand*** n'a pas dans ce contexe son sens habituel de **être debout**, mais veut seulement dire **être** ou **rester**, comme par exemple dans :

> *A lot of these houses are standing empty at the moment.*

qui signifie :

> Beaucoup de maisons sont / restent inoccupées.

Debout doit donc être supprimé.

6- his sort of neighbourhood ≠
son genre de voisinage

Neighbourhood est un cas de *faux-ami* partiel par dérivation, puisqu'il est dérivé de ***neighbour*** et qu'il se traduit souvent par **voisinage.**

Son emploi est plus large que celui de son correspondant français **voisinage.** Il faut le rendre ici par **quartier.**
Pensez aussi au terme ***block*** en anglais américain, littéralement **un pâté de maisons,** mais qui est souvent une unité de distance comme dans :

The subway is two blocks from the entrance of the park.

III Traduction proposée

Confrontez votre traduction à celle-ci. Repérez vos erreurs et identifiez la cause (mauvaise compréhension de l'anglais, maladresse ou non-sens en français)

La promenade du chien

1 Chaque fois qu'Henry Wilt sortait son chien, ou, pour être exact, lorsque le chien sortait Wilt, ou, soyons précis, lorsque Mme Wilt leur disait à tous les deux de débarrasser les lieux pour qu'elle puisse faire son yoga, il prenait toujours le même chemin. En réalité, c'était le
5 chien qui suivait le chemin et Wilt qui suivait le chien. Ils passaient devant le bureau de poste, traversaient le terrain de jeu, passaient sous le pont de chemin de fer pour déboucher sur le sentier longeant la rivière. Un kilomètre et demi le long de la rivière, et puis ils repassaient sous la voie ferrée et rentraient en passant par des rues où
10 les maisons étaient plus grandes que le pavillon mitoyen de Wilt, où il y avait de grands arbres et de vastes jardins, et où il n'y avait que des Rover et des Mercedes. C'était là que Clem, avec son pedigree de Labrador, se sentant manifestement d'avantage dans son milieu, faisait ses besoins tandis que Wilt attendait, regardant autour de lui, assez
15 mal à l'aise, sachant que ce n'était pas son genre de quartier et le regrettant.

IV ÉTUDE DE QUELQUES PROCÉDÉS DE TRADUCTION

1- the dog followed the route =>
c'était le chien qui suivait le chemin

Ce type de construction, qui consiste à mettre en relief le sujet de l'énoncé, n'existe pas en anglais. Le procédé de traduction employé est donc la *thématisation*. On dira par exemple :

> *'I paid for the meal yesterday.'*
> *'No I did.'*

qu'on traduira par :

> « J'ai payé le repas hier.
> — Non, c'est moi (qui ai payé). »

Dans la réponse anglaise, il faudra accentuer le pronom **I**. Il faudrait de même accentuer ***the dog*** dans le texte à traduire. Cet exemple montre qu'il est essentiel de lire le texte à haute voix pour mieux le comprendre, particulièrement lorsqu'il s'agit de dialogue puisque les intonations indiquent le sens autant que les mots eux-mêmes.
Nota bene : l'emploi de cette construction en français entraîne l'ajout de **qui** dans la deuxième proposition de la même phrase :

> et Wilt qui suivait le chien.

2- across the playground =>
traversaient le terrain de jeu

C'est un cas de *conversion* de préposition à verbe. Le système des prépostions anglaises est très riche et permet une grande économie d'expression, impossible en français.
Pour les mêmes raisons on a plus loin :

> *out on to the footpath* => pour déboucher sur le sentier
> *by the river* => longeant la rivière
> *back through streets* ... => rentraient en passant par des rues ...

On a donc un seul verbe en anglais (***went***) et quatre en français.

3- A mile along the river =>
un kilomètre et demi le long de la rivière

C'est un exemple *d'équivalence* puisque les distances s'expriment en anglais avec une unité de mesure inconnue en France. En l'occurence il ne s'agit pas d'une mesure scientifique mais seulement approximative. On ne traduira donc pas par 1,609 km, ce qui serait absurde, mais par une expression rendant approximativement la distance.
Garder le terme anglais de ***mile***, c'est supposer que le lecteur de votre traduction connaît le contexte anglo-saxon. Cela peut se concevoir pour une traduction professionnelle mais n'est en général pas admis dans une traduction universitaire ou scolaire.
Notez qu'il est contraire à l'usage dans un texte littéraire d'écrire en chiffres 1,5 km.

4- there were large trees and gardens =>
il y avait de grands arbres et de vastes jardins

Il faut voir que l'adjectif **large** s'applique aussi bien à ***gardens*** qu'à ***trees***. Traduire par :

il y avait de grands arbres et des jardins

c'est supposer que dans le quartier de Wilt les maisons n'ont pas de jardins du tout, ce qui n'est pas vraisemblable.
Or la mise en facteur commun de l'adjectif n'est pas possible en français . Il faut donc *développer*, soit en répétant **grands** soit comme ici, en donnant un synonyme, qui montre mieux l'accablement du personnage devant ces demeures somptueuses.

5- Wilt stood looking around... =>
Wilt attendait regardant autour de lui...

Vous avez vu plus haut pourquoi la traduction littérale **était debout** n'était pas acceptable. La traduction proposée est un exemple de déplacement puisqu'au lieu de **rester** on donne **attendre**. On est parvenu à cette traduction en visualisant la scène et en se posant la question :
Que fait le propriétaire d'un chien pendant que celui-ci fait ses besoins ?
On pourrait envisager de traduire ***stood*** et ***looking around*** ensemble par :

Wilt faisait le guet

puisque manifestement le personnage regarde à droite et à gauche de peur qu'un des habitants de ce quartier aisé ne vienne lui faire la leçon.

Thème 3

Plan de travail

I Instructions
II Traduction proposée
III Solution des problèmes posés par les formes verbales
IV Étude de procédés de traduction

Sentiments distingués

1 Aujourd'hui, maman est morte. Ou peut-être hier, je ne sais pas. J'ai reçu un télégramme de l'asile : "Mère décédée. Enterrement demain. Sentiments distingués." Cela ne veut rien dire. C'était peut-être hier.
5 L'asile de vieillards est à Marengo, à quatre-vingts kilomètres d'Alger. Je prendrai l'autobus à deux heures et j'arriverai dans l'après-midi. Ainsi, je pourrai veiller et je rentrerai demain soir. J'ai demandé deux jours de congé à mon patron et il ne pouvait pas me les refuser avec une excuse pareille. Mais il n'avait pas
10 l'air content. Je lui ai même dit : " Ce n'est pas de ma faute." Il n'a pas répondu. J'ai pensé alors que je n'aurais pas dû lui dire cela. En somme je n'avais pas à m'excuser. C'était plutôt à lui de me présenter mes condoléances. Mais il le fera sans doute après-demain, quand il me verra en deuil. Pour le moment, c'est un
15 peu comme si maman n'était pas morte. Après l'enterrement, au contraire, ce sera une affaire classée et tout aura revêtu une allure plus officielle.

Albert Camus, *L'étranger,* 1942, Gallimard.

I Instructions

Lisez attentivement le texte, cernez les difficultés et lisez les avertissements qui suivent avant de traduire.
Aucune des formes verbales ci-dessous n'est simple à traduire, soit parce qu'elles ne peuvent être rendues littéralement, soit parce qu'elles nécessitent une interprétation en fonction du contexte.

1- est morte
Le danger est de traduire littéralement par ***is dead***, qui serait faux. Le français exprime un événement tandis que ***is dead*** exprime un état de fait, le résultat de l'événement mourir.
On dira par exemple :

He's dead now, he won't speak.

Le même problème se pose avec l'expression **comme si maman n'était pas morte** à la fin du texte. La solution ne sera cependant pas obligatoirement la même.

2 - J'ai reçu
Comme avec chaque passé composé français, il faut choisir entre le préterit ***I received*** ou le 'present perfect' ***I have received*** selon que le procès sera envisagé en soi ou en fonction de son lien avec la situation présente.

3 - C'était peut-être hier.
Il est possible de traduire littéralement. Cependant, on peut traduire de façon plus idiomatique en anglais, en employant le verbe modal ***may***.

4 - je pourrai veiller
En anglais, forme verbale complexe. Souvenez-vous qu'il n'est pas possible de mettre côte à côte deux verbes modaux (***will*** et ***can*** par exemple).

5- J'ai demandé
Problème déjà rencontré de la traduction du passé composé. Il faut se poser la question du choix entre prétérit et 'present perfect' comme pour **J'ai reçu** ci-dessus. La solution ne sera peut-être pas la même.

6 - je n'aurais pas dû lui dire cela
En français, la marque du passé porte sur le modal **je n'aurais pas dû** (hier) qui s'oppose à **je devrais** (aujourd'hui). En anglais, c'est le verbe principal **dire** qui portera l'indication du passé.

7 - je n'avais pas à m'excuser
Si vous pensez utiliser ***have to*** n'oubliez pas que ***have*** dans cette construction n'est pas un auxiliaire, et par conséquent qu'un autre auxiliaire est nécessaire pour former une phrase négative.

8 - quand il me verra en deuil
C'est un cas de faux-ami grammatical. En anglais, la marque du futur ne doit pas être traduite dans les subordonnées de temps.

A vous de traduire maintenant :
- Utilisez le dictionnaire après avoir tout essayé pour trouver par vous-même une traduction correcte.
- Méfiez vous particulièrement de mots dont vous pensez connaître la traduction mais qui dans ce contexte prennent un sens particulier. Cela signifie en particulier que la première traduction proposée par le dictionnaire n'est pas nécessairement la bonne.

II Traduction proposée

Confrontez votre traduction à celle-ci. Identifiez vos erreurs.

Yours truly

1 Mummy died today, or maybe yesterday, I can't be sure. I received a telegram from the home: "Mother passed away. Funeral tomorrow. Yours truly." It doesn't prove anything. She may have died yesterday. The old people's home is in Marengo, about fifty miles from Algiers.
5 I'll take the two o'clock bus and I will get there in the afternoon. So I will be able to watch over the body and I will come back tomorrow evening. I asked my boss for two days off and he couldn't refuse with such an excuse. But he looked vexed. I even told him : "It isn't my fault." He didn't answer. Then I told myself I shouldn't have said that.
10 After all I didn't have to apologize. He was the one who should have expressed his sympathy. But probably he will do so the day after tomorrow when he sees me in mourning. For the moment, it's as if somehow mum had not died. After the funeral, however, the matter will be closed and everything will look more official.

IV Solutions aux problemes posés par les formes verbales

1- est morte =>
died

Puisque c'est un évènement, quelque chose de nouveau et non un état, il faut employer le verbe ***die*** au lieu de l'adjectif.
A la fin du texte avec l'expression **comme si maman n'était pas morte**, la situation est différente puisqu'il s'agit du résultat. On peut donc écrire ... ***as if mum weren't / wasn't dead***. Notez bien néanmoins que ce n'est pas une

obligation et que l'on peut aussi bien employer le verbe **die** : **as if mum had not died.**

2- J'ai reçu =>
I received

Le contexte n'impose l'un ou l'autre temps, prétérit ou 'present perfect'. D'une part, le rapport avec le présent est indiqué par le présent de ***I can't be sure***. D'autre part, l'ensemble du texte est une suite d'événements racontés au passé. Les deux solutions sont acceptables.

3- C'était peut-être hier =>
She may have died yesterday

L'emploi du verbe modal ***may***, permettant une traduction plus idiomatique, entraîne la possibilité d'un changement de sujet. On peut aussi écrire : ***Perhaps it was yesterday***.

4- je pourrai veiller =>
I will be able to watch over the body

Problème classique de grammaire ; nécessité de transformer ***can*** en ***be able to***. Remarquez par ailleurs qu'il n'est pas indispensable de traduire la marque du futur. On aurait pu écrire : ***I can keep watch over the body***.

5- J'ai demandé =>
I asked

Ici le choix du prétérit est impératif, car on est dans le corps du récit, dans une série de verbes décrivant une scène passée.

6- je n'aurais pas dû lui dire cela =>
I shouldn't have said that.

Problème classique : en anglais c'est l'infinitif du verbe principal qui est au passé (***have said*** au lieu de ***say***), alors qu'en français c'est le verbe de modalité **devoir**.

7- je n'avais pas à m'excuser: =>
I didn't have to apologize

On peut aussi employer : ***I needn't have said that***, qui diffère cependant de la traduction proposée en ce que elle présuppose : ***I said that***, ce qui n'est pas contraire au contexte.

Le fait que cette deuxième possibilité soit conforme au texte *n'oblige* cependant pas à la choisir.
Une autre possibilité consiste à choisir une tournure impersonnelle : ***There was no reason for me apologize.***

8- quand il me verra en deuil =>
when he sees me

Le présent simple est impératif ici. On peut dire que le ***will*** employé dans la propostion principale (***he will do so***) vaut aussi pour le verbe de la subordonnée, ou est en facteur commun devant les deux verbes.

IV ÉTUDE DE PROCÉDÉS DE TRADUCTION

1- je ne sais pas =>
I can't be sure

Il est possible de traduire littéralement. En choisissant cette autre solution, le traducteur *idiomatise*.

2- Sentiments distingués =>
Yours truly

C'est un exemple *d'expression figée* qu'il est rigoureusement impossible de traduire littéralement et qu'on ne peut pas deviner. D'où l'intérêt de repérer soigneusement les formules toutes faites de ce genre avant de traduire. On peut aussi dire : ***Faithfully***.

3- Mais il n'avait pas l'air content =>
But he looked vexed.

Une traduction plus littérale est possible, à condition de ne pas utiliser la traduction la plus courante de **content**, qui est ***glad*** : par exemple ***he didn't look pleased***. Au cas où le bon adjectif ne vous vient pas à l'esprit, le passage au *contraire avec suppression de la négation* est un bon procédé de secours.
De la même façon, au lieu de …***as if mum had not died***, on peut écrire ***as if my mother was / were still alive***.

4- Mais il le fera sans doute =>
But probably he will do so

Cette traduction montre la particularité du *système des auxiliaires*, très productif en anglais. Notez en particulier la présence obligatoire de **so** (cf. dans la traduction de « **Oui, je pense** » par **'*Yes I think so*'**).
On aurait aussi pu écrire :

But he no doubt will do it the day after tomorrow.
But he probably will ø ø the day after tomorrow.

Version et thème 3

Four-fifteen

1 I was in bed at my beach house, but could not sleep because of some fried chicken in the icebox that I felt entitled to. I waited till my wife dropped off, and tiptoed to the kitchen. I remember looking at the clock. It was precisely four-fifteen. I'm quite certain of
5 this, because our kitchen clock has not worked in twenty-one years and is always at that time. I also noticed that our dog, Judas, was acting funny. He was standing up on his legs and singing, 'I Enjoy Being a Girl.' Suddenly the room turned bright orange. At first, I thought my wife had caught me eating between
10 meals and set fire to the house. Then I looked out the window, where to my amazement I saw a gigantic cigar-shaped aircraft hovering just over the treetops in the yard and emitting an orange glow. I stood transfixed for what must have been several hours, though our clock still read four-fifteen, so it was difficult to
15 tell. Finally, a large, mechanical claw extended from the aircraft and snatched the two pieces of chicken from my hand and quickly retreated. The machine then rose and, accelerating at great speed, vanished into the sky. When I protested, Colonel Quincy Bascomb personally promised that the Air Force would
20 return the two pieces of chicken. To this day, I have only received one piece.

Woody Allen, *Side Effects,* 1975, Ballantine Books.

Mondo

1 Personne n'aurait pu dire d'où venait Mondo. Il était arrivé un jour, par hasard, ici dans notre ville, sans qu'on s'en aperçoive, et puis on s'était habitué à lui. C'était un garçon d'une dizaine d'années, avec un visage tout rond et tranquille, et de beaux
5 yeux noirs un peu obliques. Mais c'était surtout ses cheveux qu'on remarquait, des cheveux brun cendré qui changeaient de couleur selon la lumière, et qui paraissaient presque gris à la tombée de la nuit.
On ne savait rien de sa famille, ni de sa maison. Peut-être qu'il
10 n'en avait pas. Toujours, quand on ne s'y attendait pas, quand on ne pensait pas à lui, il apparaissait au coin d'une rue, près de la plage, ou sur la place du marché. Il marchait seul, l'air décidé, en regardant autour de lui. Il était habillé tous les jours de la même façon, un pantalon bleu en denim, des chaussures
15 de tennis, et un T-shirt vert un peu trop grand pour lui.
Quand il arrivait vers vous, il vous regardait bien en face, il souriait, et ses yeux étroits devenaient deux fentes brillantes. C'était sa façon de saluer. Quand il y avait quelqu'un qui lui plaisait, il l'arrêtait et il lui demandait tout simplement :
20 « Est-ce que vous voulez m'adopter ? »

J.M.G. Le Clézio, *Mondo et autres histoires,* 1978, Gallimard.

Propositions de traduction 3

Quatre heures et quart

1 J'étais au lit, dans ma maison au bord de la mer, mais je ne pouvais pas dormir parce qu'il y avait des beignets de poulet frit au réfrigérateur auquel je pensais avoir droit. J'attendis que ma femme s'endormît et je me rendis dans la cuisine sur la pointe des pieds. Je me rappelle avoir
5 regardé l'horloge. Il était exactement quatre heures et quart. J'en suis absolument certain, parce que notre horloge de cuisine ne marche plus depuis vingt et un ans et qu'elle indique toujours cette heure-là. Je remarquai aussi que Judas, notre chien, avait un comportement bizarre. Il était debout sur ses pattes de derrière et chantait « Ça me
10 plaît d'être une fille ». Tout d'un coup la pièce est devenue orange vif. D'abord, j'ai pensé que ma femme m'avait surpris en train de manger entre les repas et qu'elle avait mis le feu à la maison. Puis je regardai par la fenêtre, et j'eus la stupéfaction de voir un engin volant en forme de cigare planant juste au-dessus des arbres du jardin et diffu-
15 sant une lueur orange. Je restai cloué sur place probablement plusieurs heures, quoique cela soit difficile à dire puisque notre horloge indiquait toujours quatre heures quinze. Finalement, un grande pince articulée sortit de l'engin, me chipa les deux morceaux de poulet que j'avais dans la main et se retira vivement. Puis la machine prit de
20 l'altitude, et disparut dans le ciel à toute vitesse. A la suite de mes protestations, le colonel Quincy Bascomb me promit personnellement que l'armée de l'air me restituerait les deux morceaux de poulet. A ce jour, je n'en ai encore reçu qu'un.

Mondo

1 No one could have said where Mondo came from. He had turned up by chance in our town one day, unnoticed and since then we had got used to him. He was about ten years old, with a perfectly round, quiet face and beautiful, slightly slanted black eyes. But what was
5 particularly notable about him was his hair, which was an ashen brown and changed colour with the light, and which seemed almost grey at nightfall.

We knew nothing about his family or his house. Maybe he didn't have any. It was always when no one was expecting him, when no one was
10 thinking of him that he would appear at the corner of a street, near the beach, or on the market-place. He would be walking alone with a determined expression on his face, glancing about. He always wore the same clothes: blue denim trousers, tennis shoes and a green T-shirt that was a little too big for him.

15 When he passed someone he would look them in the face and smile, and his narrow eyes would become two bright slits. It was his way of saying hello. If it was someone he liked he would stop them and simply ask:

'Do you want to adopt me?'

CHAPITRE 4

L'unité de traduction

4

L'unité de traduction

Exercices 4

Tous les exercices de cette série portent sur la notion d'unité de traduction, c'est-à-dire le fait qu'un seul mot peut correspondre à un groupe de mots dans l'autre langue, ou inversement, qu'un groupe de mots peut ou doit être traduit par un seul mot.

4-1

Par exemple chacune des expressions anglaises soulignées ci-dessous doit être rendue par un seul mot en français.

1 Why don't you ask the ***shop assistant***?
2 The money must be used ***to good purpose.***
3 As a ***repeat offender*** he faces a maximum penalty of 3 years' imprisonment.
4 'I am afraid this will do more harm than good.' I said. She ***nodded agreement.***

4-2

Inversement il se peut qu'un mot anglais doive être traduit par un groupe de mots en français. C'est le cas des mots soulignés ci-dessous :

1 Don't forget to ***lock*** the door before you leave.
2 That could ***endanger*** human lives.
3 What on earth do you ***mean***?
4 They ***sat*** together for some time in silence.

4-3

Now try the same from French into English; each of these phrases can be translated as one word in English:

1 Longtemps je me suis couché **de bonne heure.**
2 On y **va à pied** ?
3 Il a **laissé tomber** la bouteille de lait.
4 Elles **font comme si** elles n'avaient rien compris.
5 Les **forces de l'ordre** ont tiré sur la foule.

4-4

You can form a lot of questions using HOW + ADJECTIVE in English, for instance:

How old are you?
Quel âge as-tu ?

Identify the translation unit in each of the following sentences and find the correct adjective in order to form the corresponding phrase HOW + ADJECTIVE.

1 Quelle est la longueur de la table ?
2 À quelle distance se trouve la gare ?
3 Cet immeuble fait combien de haut ?
4 Cette voiture fait du combien ?
5 Quelle est la taille de ton fils ?

4-5

Some words don't have an equivalent in the other language, as if the corresponding ideas did not exist. For instance there is no direct English translation for the French verb **se désintéresser** de quelque chose, as in:

Je me suis désintéressé du projet.

So it must be translated as:

I lost interest in the project.

None of the following words has a direct translation in English.
Use the words in brackets to help you find an expression that means the same as in French:

1 Il faudra **sensibiliser** les gens à ce problème. (aware)
2 Depuis quand est-ce que tu **découches** ? (sleep)
3 Je ne peux pas vous passer M. Rabot, il est **introuvable.** (find)
4 Son **incompréhension** m'intrigue. (understanding)

Now try and find the whole translation by yourself:

5 La **conjoncture** s'est beaucoup améliorée malgré le déficit budgétaire.
6 Je ne pensais pas qu'il était si **influençable.**
7 Ça ne sert à rien de **culpabiliser.**
8 Est-ce que tu cherches à me **culpabiliser** ?
9 Elle n'est pas particulièrement **frileuse.**

4-6

The following dialogue contains a number of set phrases that cannot be translated literally. Here they are:

You're welcome	Forget it
Nice to meet you	Make yourself comfortable
No hard feelings	Freeze
So much the better	Don't make a fuss
Never mind	

Choose from the list and translate the whole passage.

L'autre jour, on sonne à ma porte. J'ouvre et je vois un homme d'une soixantaine d'années.
« Bonjour monsieur, je suis monsieur Sieff de la maison Grabbit & Runn.
— **Enchanté**, qu'est-ce que je peux faire pour vous ?
— Et bien voilà, je voudrais vous montrer notre nouveau matériel informatique.
— J'allais sortir, mais **tant pis** … entrez, je vous en prie.
— Je vous remercie, monsieur.
— **Je vous en prie**, asseyez vous, vous prenez un verre ?… **faites comme chez vous.** »
Je vais à la cuisine chercher les verres et quand je reviens dans le salon, il est là, debout, un revolver à la main.
« Je suis désolé… montrez-moi où est le coffre.
— **Laisse tomber** … je n'en ai pas, de coffre.
— **Tant mieux**, je ne sais pas les ouvrir. Où tu mets ton argent ?
— Non mais ça ne va pas, non ? Tu crois que …
Il pointe son arme sur moi.
— **Ne fais pas d'histoires**.

A ce moment il entend un bruit dans la cuisine. Il se retourne d'un bond.
— **Que personne ne bouge** !
Trop tard pour lui, je l'assomme et je le traîne sur le palier. Il l'avait cherché.
— **Sans rancune**, mon vieux ... Ciao. »

4-7

The translation of an expression like **Attends un peu** seems fairly simple but in fact it is not. Consider the two contexts:

(a)*Attends un peu, je descends.*
(b)*Attends un peu, chenapan.*

In (a) the phrase must be interpreted literally and is therefore fairly easy to translate:

Wait a minute, I'm coming

In (b) however the intention of the speaker is totally different: he's not ***informing*** somebody about what he's about to do, he's ***threatening*** him. This difference results in a totally different translation in English:

Just you wait, you rascal

What you must do then before trying to think of a translation for the following expresssions is understand the intention of the speaker.

1 « Il paraît qu'il a gagné. — **Non !** »
2 « **Ça alors !** Monsieur Machin ici ! »
3 « Mais vous avez enfonçé mon pare-chocs. — **Et après ?** »
4 « Il a cassé une vitre, **voilà tout.** »
5 « On dit qu'elle s'est mariée dix-huit fois ! — **Tout de même !** »
6 « **Et voilà**, un gigot d'agneau pour la dame. »

In order to translate the following series of set phrases, you must use one of these modal verbs:

can must might may

7 « Je viens de voir le président en personne. **Tu t'imagines !** »
8 « Elle a gagné 10000 francs en deux jours. — **Non, tu ne parles pas sérieusement !** »
9 « Tu veux dire qu'elle t'a ... arnaqué ? — **Pour ainsi dire.** »
10 « Prends un parapluie, **on ne sait jamais.** »
11 « Il a foutu le camp, **si j'ose m'exprimer ainsi.** »
12 « Qu'est-ce que c'est que ce marteau? Non, **tu ne vas pas faire ça !** »

Solutions 4

4-1

1 Pourquoi est-ce que tu ne demandes pas au **vendeur** / à la **vendeuse** ?
2 Il faut que l'argent soit dépensé **utilement.**
3 En tant que **récidiviste,** il risque une peine maximum de trois ans d'emprisonnement.
4 « Je crains que cela ne fasse plus de mal que de bien », dis-je. Elle **acquiesca.**

4-2

1 N'oublie pas de **fermer à clé** avant de partir.
2 Cela pourra mettre des vies humaines **en danger.**
3 Mais qu'est-ce que tu **veux dire** ?
4 Ils **restèrent assis** un moment sans rien dire.

4-3

1 For a long time, I went to bed ***early.***
2 Shall we ***walk*** there?
3 He ***dropped*** the bottle of milk.
4 They ***pretend*** they haven't understood anything.
5 The ***police*** fired at the crowd.

4-4

1 How long is the table?
2 How far is the station?
3 How high / tall is that building?
4 How fast is that car?
5 How tall is your son?

4-5

1 We'll have to ***make people aware*** of the problem.
2 Since when have you ***sleeping out*** / ***sleeping elsewhere***?
Since when have you ***not been coming home to sleep***?
3 I can't put you through to Mr. Rabot, he's ***nowhere to be found.***
4 His ***lack of understanding*** puzzles me.
5 The ***economic situation*** / ***economic climate*** has improved a lot in spite of the budget deficit
6 I hadn't realised he ***could be so easily influenced*** / ***he was so easy to influence.***

7 There's no point in ***feeling guilty.***
8 Are you trying to ***make*** me ***feel guilty***?
9 She isn't particularly ***sensitive to the cold.***

4-6

The other day someone rang my bell. I opened the door and I saw a man, about sixty.
'Good morning sir, my name's Sieff and I'm from Grabbit & Runn.'
'Nice to meet you. What can I do for you?'
'Well, I would like to show you our new computer hardware.'
'I was just leaving, but never mind... do come in.'
'Thank you sir.'
'You're welcome ...take a seat, would you like a glass of something? ... make yourself at home / make yourself comfortable.'
So I went to the kitchen to get the glasses and when I came back into the living-room he was standing there with a gun in his hand.
'I'm sorry... show me where you safe is.'
'Forget it... I don't have one.'
'So much the better, I can't open them. Where d'you keep your money?'
'Are you crazy or what? If you think...
He pointed his gun at me.
'Come on don't make a fuss.'
Suddenly he heard a noise in the kitchen. He jumped around.
'Freeze!'
Too late, I knocked him out and dragged his body to the landing. Served him right.
'No hard feelings, mate ... Cheerio.'

4-7

1 ' They say he's won.' ***'You don't say (so)***!'
2 ***What? / Can you believe it***? Mr What's-his-name!'
3 'But you've dented my bumper!' ***'So what***?'
4 He's broken a window, ***that's all / that's all there is to it.***
5 'They say she married eighteen times.' ***'Unbelievable***!'
6 ***'There it is / Here we are***, a leg of lamb for the lady.'
7 'I've just seen the president in person. ***Can you imagine***?'
8 'She earned 10 000 francs in two days.'
'You can't be serious / You must be joking.'
9 'You mean she's ... done you.' ***'You might say so***.'
10 'Take your umbrella, ***you never can tell / you never know***.'
11 'He cleared off... ***if I may say so***.'
12 'What's that hammer? ...***No you can't do that***.'

Version 4

Plan de travail

I Instructions
II Traduction proposée
III Analyse d'erreurs
IV Correction de votre traduction

A civilized conversation?

Reg and his wife Sarah are having a party with Annie, Reg's younger sister, Tom, a friend and some other people.

1 Reg : Well, I thought it might be quite fun if we were to have a go at my game, perhaps.
Sarah : I'm sure nobody wants to do that.
Reg : It'd be quite fun.
5 Sarah : We don't want to waste our evening doing that.
Reg : You may not but—
Sarah : No one does, don't be so boring.
Reg : [*muttering*] I just thought if...
Sarah : We hardly see each other at all. One of the few occa-
10 sions we all manage to be together, away from that blessed television and without the children to worry about — wouldn't it be rather nice if for once we could just sit and have a pleasant civilized conversation?
Reg : Civilized conversation?
15 Sarah : Yes, why not?
Reg : We couldn't have a civilized conversation if we tried. Hark at you just now. You were only pouring the coffee out, there was practically a bloody civil war.
Sarah : Well, I'm not wasting my time playing your silly games
20 and that's final. [*Silence*]
Annie : I think I'd quite enjoy a game.
Reg : Ah!
Sarah : What?
Annie : And I'm sure Tom would. Wouldn't you, Tom?
25 Tom : Um?
Annie : You'd like to play Reg's game, wouldn't you?
Tom : [*doubtfully*] Oh...

Sarah : Of course he doesn't, do you Tom?
Annie : Of course he does, don't you Tom?
30 Tom : Er— [*looking from woman to woman*] Well...
Annie : Super. Come on then, Reg.

Alan Ayckbourn, *Living Together*, Act I Scene 2,
1975, Chatto &Windus

I INSTRUCTIONS

1- Un des traits les plus caractéristiques d'un texte comme celui-ci, c'est la brièveté de nombreuses répliques, qui donne toute sa vivacité à la scène. C'est ce qui explique que plusieurs énoncés soient constitués d'un seul mot, voire d'une interjection (***Ah, Oh, Um, Er... Well***). Ces interjections doivent être traduites comme des mots ordinaires. Pour parvenir à une bonne traduction, vous devez vous représenter la scène et comprendre le geste qui les sous-tend (doute, surprise etc.).
Pour que le rythme soit soutenu, l'auteur se sert abondamment du système des auxiliaires, qui permettent de renvoyer à toute une proposition sans la reprendre explicitement. Par exemple :

You may not pour *You may not want to have a go at my game.*

C'est dire qu'une bonne partie du texte est sous-entendue : les répliques sont des phrases abrégées, comme les noms des personnages eux-mêmes (Reg Tom).
Il faut trouver d'autres formules en français, aussi brèves que possible pour restituer la vivacité de l'échange.

2- Un problème se pose aussi quant au registre de langue employé. On voit que le ton de la conversation est familier, et frise parfois la vulgarité. Cette langue familière étant très riche et évoluant rapidement dans le temps, on peut hésiter entre plusieurs possibilités pour traduire ***it'd be quite fun, silly games, bloody civil war, super.***

3- Enfin, ce qui donne aussi son ressort comique à la conversation (qui est loin d'être une « civilized conversation ») ce sont les reprises quasi mécaniques comme par exemple :

Sarah : ...a pleasant civilized conversation
Reg : Civilized conversation?

ou encore :

> *Sarah : Of course he doesn't, do you Tom?*
> *Annie : Of course he does, don't you Tom?*

Ce procédé est caractéristique du théâtre et en conséquence la traduction sera différente de celle d'un dialogue de roman. Elle devra conserver cet effet, en reprenant les mêmes mots, même si la construction différente de la reprise invite à des modifications plus importantes.

4- Ce texte ne pose pas de véritable problème de compréhension (si ce n'est ***blessed, bloody***) mais exige par contre, puisque l'on doit aboutir à une langue naturelle et parlée, de nombreuses transpositions. Par exemple, penser à **marrant**, **rigolo**, etc.
Pour y parvenir, il faudra comme chaque fois, se représenter la scène, ce qui veut dire en particulier pour ce dialogue, imaginer les intonations de chacune des répliques. Il faut en quelque sorte se jouer la scène mentalement, en s'aidant bien sûr des quelques indications données par l'auteur.
Ainsi ***muttering***, que vous ne connaissez peut-être pas, peut se comprendre grâce au contexte.

II Traduction proposée

Bavarder tranquillement ?

1 Reg : Dites, je me disais qu'on pourrait bien s'amuser si on essayait mon jeu, non ?
Sarah : Je suis sûre que personne n'a envie de ça.
Reg : On pourrait bien s'amuser.
5 Sarah : On n'a pas envie de perdre la soirée à ça.
Reg : Peut-être pas toi mais ...
Sarah : Les autres non plus, ne nous ennuie donc pas.
Reg : (*marmonnant*) Je me disais simplement...
Sarah : On ne se voit presque jamais. Une des rares occasions où on
10 arrive à se retrouver tous ensemble, sans cette fichue télévision et sans avoir à s'occuper des enfants ... est-ce que pour une fois on ne pourrait pas tout simplement passer une soirée agréable en bavardant tranquillement?
Reg : Bavarder tranquillement ?
15 Sarah : Oui, pourquoi pas ?

Reg : Même si on le voulait, on n'y arriverait pas. Tu t'es vue, il y a un instant? Tu étais simplement en train de servir le café, et bon sang, ça a failli déclencher une guerre civile.
Sarah : En tous cas, je ne vais pas perdre mon temps à jouer à tes jeux
20 stupides, un point, c'est tout. [*Un silence*]
Annie : Je crois que ça me dirait bien de faire une partie.
Reg : Ah !
Sarah : Quoi ?
Annie : Et Tom aussi, j'en suis sûre. N'est-ce pas, Tom ?
25 Tom : Hmm?
Annie : Ça te dirait de jouer au jeu de Reg, n'est-ce pas ?
Tom : [*dubitatif*] Oh...
Sarah : Mais c'est évident que ça ne lui dit rien, n'est-ce pas, Tom ?
Annie : Mais si, ça lui dit, c'est évident, n'est-ce pas, Tom?
30 Tom : Heu ... [regardant une femme, puis l'autre] Eh bien...
Annie : Super. Bon on y va, Reg.

III ANALYSE D'ERREURS

1- It'd be quite fun≠
cela serait plutôt amusant.

Quite a deux significations contradictoires : **plutôt** et **tout à fait**. Or rien dans le contexte linguistique ne permet de choisir entre l'une ou l'autre interprétation. C'est la situation psychologique qui fait comprendre sans doute possible que c'est la deuxième interprétation qui est la bonne. En effet Reg voudrait bien qu'on essaie son jeu et cherche à persuader les autres que son idée est tout à fait intéressante.

2- ... if we could just sit and ...≠
si on pouvait simplement s'asseoir et...

C'est un exemple de sur-traduction. En effet **sit,** un peu comme **stand** dans la version 3, a un sens affaibli que l'on peut gloser par « être là » (cf *to sit still* = rester tranquille *to sit for an exam* = passer un examen). Sarah ne suggère pas qu'ils devraient s'asseoir, (au lieu de rester debout ou allongés), mais simplement qu'ils pourraient passer un moment tranquille, sans avoir à se lever pour s'occuper des enfants par exemple.

3- and have a civilized conversation ≠
avoir une conversation civilisée.

Malgré les apparences cette expression très britannique est très difficile à traduire. Traduire littéralement, c'est parler comme les Bretons d'Astérix.
Le meilleur moyen de comprendre ce que Sarah veut dire, c'est de voir ce qu'elle ne veut pas : du bruit, de l'agitation, des tracas, des disputes (ce précisément à quoi on assiste).
C'est ce que rendra l'adverbe français **tranquillement**.

4- there was practically a bloody civil war ≠
et il y avait pratiquement une guerre.

Cette faute de temps (**il y avait** au lieu de **il y a eu**) montre une incompréhension de la phrase dans son ensemble. Reg décrit une situation qui vient de se produire (just now) et ce qui a failli arriver : une guerre civile.
Il est donc essentiel d'employer un passé composé pour indiquer qu'il s'agit d'un évènement, et non d'un état de fait, comme le ferait croire l'emploi de l'imparfait. Le passé simple, théoriquement possible, est invraisemblable parce qu'il serait contraire au niveau de langue employé par les personnages.

5- Well, I'm not wasting my time playing ... ≠
Et bien je suis pas en train de perdre mon temps à jouer...

Cette traduction reflète une compréhension trop scolaire de la forme en **BE+ING,** que beaucoup de grammaires désignent comme forme progressive, c'est-à-dire comme renvoyant à un procès en cours.
Il est clair ici que le procès en question ne peut être en cours puisqu'ils n'ont pas commencé de jouer. La signification qu'il faut donner à **BE+ING** n'a en fait rien à voir avec les notions de temps ou d'aspect.
Sarah veut indiquer que sa décision est irrévocable (cf that's final), que, de toutes façons, en ce qui la concerne, elle ne jouera pas, même si ce qu'elle suggèrait il y a un instant, bavarder tranquillement, n'est pas possible. Ce que signifie la forme BE+ING c'est donc que Sarah ne donne pas une information, mais affirme une volonté. Pensez par exemple à :

No I'm not selling my car

qui peut se traduire par

Pas question que je vende ma voiture.

Le français ne disposant pas d'une forme verbale lui permettant d'exprimer cette intention, il faut envisager de la rendre par l'adverbe que l'on vient d'employer dans la glose : **de toute façon**, ou un équivalent comme **en tout cas.**

IV CORRECTION DE VOTRE TRADUCTION

Vous pourrez vérifier d'éventuelles fautes de compréhension en confrontant votre texte avec le corrigé proposé ci-dessus. Il faudra de plus vous assurer que votre traduction est rédigée dans une langue naturelle et spontanée. Or, au moment où l'on traduit, il est difficile de prendre le recul nécessaire pour évaluer ceci correctement.

Vous avez trois possibililtés :

– Faire lire votre texte par quelqu'un qui n'a pas lu le texte d'Ayckbourn (et éventuellement qui ne connaît pas l'anglais)

– Relire vous-même votre texte, mais plus tard, quand vous aurez oublié autant que possible le texte anglais.

– Mieux encore déclamer votre traduction, devant des amis ou un magnétophone et apprendre à *entendre* vos maladresses.

Thème 4

Plan de travail

I Instructions
II Étude de quelques erreurs
III Traductions proposées
IV Analyse de variantes

Le docteur Knock

(Le docteur Knock, nouvellement arrivé dans le bourg de Saint-Maurice, a fait savoir qu'il donnait une consultation gratuite aux habitants du canton.)

KNOCK

1 Ah! voici les consultants. (*A la cantonade.*) Une douzaine, déjà ? Prévenez les nouveaux arrivants qu'après onze heures et demie je ne puis plus recevoir personne, au moins, en consultation gratuite. C'est vous qui êtes la première, madame ? (*Il fait entrer la*
5 *dame en noir et referme la porte.*) Vous êtes bien du canton?

LA DAME EN NOIR

Je suis de la commune.

KNOCK

De Saint-Maurice même ?

LA DAME

J'habite la grande ferme qui est sur la route de Luchère.

KNOCK

Elle vous appartient ?

LA DAME

10 Oui, à mon mari et à moi.

KNOCK

Si vous l'exploitez vous-même, vous devez avoir beaucoup de travail ?

LA DAME

Pensez, monsieur! dix-huit vaches, deux bœufs, deux taureaux, la jument et le poulain, six chèvres, une bonne douzaine de co-
15 chons, sans compter la basse-cour.

KNOCK

Diable! Vous n'avez pas de domestique ?

LA DAME

Dame si. Trois valets, une servante, et les journaliers dans la belle saison.

KNOCK

Je vous plains. Il ne doit guère vous rester de temps pour vous
20 soigner ?

LA DAME

Oh ! non.

KNOCK

Et pourtant vous souffrez.

LA DAME

Ce n'est pas le mot. J'ai plutôt de la fatigue.

KNOCK

Oui, vous appelez ça de la fatigue. (*Il s'approche d'elle.*) Tirez
25 la langue. Vous ne devez pas avoir beaucoup d'appétit.

LA DAME

Non.

KNOCK

Vous êtes constipée.

LA DAME

Oui, assez.

KNOCK, *il l'ausculte.*

Baissez la tête. Respirez. Toussez. Vous n'êtes pas tombée d'une
30 échelle, étant petite ?

Jules Romains, *Knock,* 1924, Éditions Gallimard.

I INSTRUCTIONS

Ne traduisez pas les quelques lignes d'introduction entre parenthèses. Quelques avertissements :

- dans la construction des « tags » ou des réponses, veillez bien à ce que l'auxiliaire corresponde à celui de la phrase qui précède.

- les formes verbales posent peu de problèmes. Méfiez-vous cependant du verbe **devoir** associé à une négation, dans le sens où il est employé ici :

Vous ne *devez* pas avoir beaucoup d'appétit.
Il ne *doit* guère vous rester de temps pour vous soigner.

II ÉTUDE DE QUELQUES ERREURS

1- À la cantonade ≠
to the people from the canton

Le mot **cantonade** est de la même famille étymologique que **canton**. Le fait que les deux mots sont employés dans le même paragraphe ici est cependant une coïncidence. **À la cantonade** signifie que le docteur s'adresse à la douzaine de personnes qui attendent – et non pas à tous les habitants du canton. Ce type de faute est un cas particulier de faute d'inattention et provient d'un télescopage entre deux mots de forme similaire.

2- Vous êtes bien du canton ≠
Are you from this canton?

Cette question présente le défaut d'omettre de traduire **bien**. Or cette omission est gênante dans la mesure où elle empêche de comprendre l'intention du docteur. L'introduction précise en effet qu'il offre une consultation gratuite aux habitants du canton, c'est-à-dire du canton seulement. Il veut donc vérifier que la patiente a droit à la consultation gratuite. A vous de trouver le moyen (simple) de rendre cela en anglais.

3- une servante ≠
a servant

Le mot anglais ***servant*** présente l'inconvénient de ne pas préciser le sexe de la personne en question : il peut désigner un homme ou une femme. Or cette précision est indispensable dans ce contexte, puisque **servante** s'oppose à **valet**.

4- pour vous soigner ≠
to cure yourself

cure n'est pas sans rapport avec **soigner** puisqu'on peut dire ***to cure somebody***, ***to cure a disease***.
Mais **se soigner** a un sens plus vague, plus général, et non pas strictement médical.

5- Oui, vous appelez ça de la fatigue ≠
Yes, you call that tired
Le pronom **ça** désigne l'état de santé de la patiente. L'adjectif ***tired*** seul ne peut suffire à le désigner en anglais : il faut ajouter un mot.

III Traductions proposées

La première traduction proposée est une traduction minimaliste, aussi proche du français que possible. La seconde est plus idiomatique et prend donc davantage de libertés avec le texte de départ.

1- Première traduction

Doctor Knock

KNOCK

1 Ah! here are the patients. (*to everybody*) A dozen already? Tell the newcomers that after half past eleven I can't see anybody, at least not for a free consultation. You are first, Madam? (*He shows in the lady in black and shuts the door behind her*). You live in the canton, don't you?

LADY IN BLACK

5 I'm from the town.

KNOCK

From Saint-Maurice itself?

LADY

I live on the big farm that's on the road to Luchère.

KNOCK

Does it belong to you?

LADY

Yes it belongs to my husband and me.

KNOCK

10 If you run it yourselves, you must have a lot of work.

LADY

Imagine, Sir!... eighteen cows, two oxen, two bulls, the mare and the foal, six goats and a good dozen pigs, without counting the poultry.

KNOCK

Good gracious ! Don't you have any servants?

LADY

Oh yes! Three men, the maid and the daily people in summer.

KNOCK

15 I feel sorry for you. There can't be much time left to take care of yourself.

LADY

Oh no!

KNOCK

And still you are suffering.

LADY

That's not the word. It's rather that I'm tired.

KNOCK

20 Yes, you call that being tired. (*He approaches her*) Put out your tongue. You can't have much appetite.

LADY

No.

KNOCK

You are constipated, aren't you?

LADY

Yes, rather.

KNOCK (*examining her*)

25 Lower your head. Breathe in. Cough. Didn't you fall from a ladder when you were small?

2- Deuxième traduction

Doctor Knock

KNOCK

1 Ah! here are the patients. (*shouting*) What, a dozen already? Tell the new arrivals that I won't be seeing anyone else after half past eleven — not free of charge, at any rate. You are first, aren't you, Madam? (*He shows in the lady in black and shuts the door*). You live in the
5 district, don't you?

LADY IN BLACK

I live in the town.

KNOCK

Actually in Saint-Maurice?

LADY

I live on the large farm that's on the road to Luchère.

KNOCK

Is it yours?

LADY

10 My husband's and mine, that's right.

KNOCK

You must have your work cut out for you, if you run it yourselves.

LADY

Indeed, Sir!... what with eighteen cows, two oxen, two bulls, the mare and the foal, six goats and over a dozen pigs, not to mention the poultry.

KNOCK

Good Lord ! Don't you have any servants?

LADY

15 Oh yes, we do! Three menservants, one woman and the daily people at harvest-time.

KNOCK

I feel sorry for you. You can't have much time left to take care of yourself.

LADY

Oh no!

KNOCK

20 You're in pain, though, aren't you?

LADY

I wouldn't put it that way. I'd say I'm ...tired.

KNOCK

Yes, you call that being tired. (*He moves towards her*) Show me your tongue. Presumably you don't have much appetite.

LADY

No, I don't.

KNOCK

20 You are constipated, aren't you?

LADY

Yes, rather.

Knock(*examining her*)

Look down. Breathe in. Cough. Didn't you fall from a ladder when you were a little girl?

IV Analyse de quelques variantes

Un certain nombre de tournures utilisées dans cette seconde traduction sont préférables parce que plus idiomatiques.

1- C'est vous qui êtes la première, madame ? =>
You are first, are you, Madam?

La thématisation (**c'est vous qui...**) montre que la question est une question rhétorique, c'est-à-dire une fausse question, qui présuppose la réponse. On peut rendre cet aspect du français grâce à ce « tag » dont la forme est seulement admissible en langue parlée, puisqu'il est affirmatif alors qu'il devrait être négatif.

2- Oui, à mon mari et à moi =>
My husband's and mine, that's right.

Oui est rendu par ***that's right***, c'est-à-dire explicité. Il s'agit ici d'un oui de confirmation qui peut se gloser par : *en effet, elle nous appartient*, ou encore, *vous avez raison*. Ce qui montre au passage qu'une des particularités des questions de Knock est de toujours présupposer les réponses.

3- ...dix-huit vaches, deux bœufs, etc. =>
What with eighteen cows, two oxen etc.

L'ajout de ***what with***, qui n'a pas d'équivalent français se justifie parce qu'il correspond précisément à l'intention de la dame : elle énumère les animaux de la ferme pour montrer qu'elle a trop de travail. C'est ce qu'indiquent **Pensez, monsieur** au début de la phrase et **sans compter** à la fin.

4- Et pourtant vous souffrez =>
You're in pain, though, aren't you?

L'emploi de ***though*** en tant qu'adverbe, asssocié au « tag », présente un avantage sur ***still*** ou ***yet*** placés en début de phrase : il met en évidence la façon sournoise dont Knock impose au patient ses réponses.

Quelques-unes des variantes proposées dans la seconde traduction sont dues à une interprétation qui implique un changement de point de vue.

5- dans la belle saison=>
at harvest-time

La belle saison, comme les beaux jours, c'est l'été. C'est aussi l'époque des récoltes, puisque l'on recrute des journaliers surtout pour les récoltes, les vendanges etc..

6- Tirez la langue =>
Show me your tongue

Si l'on tire la langue dans le cabinet d'un médecin, c'est nécessairement pour la lui montrer. En employant ***show***, on traduit le geste par le but.
Ce déplacement n'est pas indispensable mais il montre un procédé utile au cas où la traduction de **tirer** dans ce contexte vous poserait problème (***draw*** est impossible). Pour qu'un tel déplacement soit autorisé, il faut bien sûr que l'énoncé dans son ensemble soit équivalent à l'énoncé de départ.

7- ...quand vous êtiez petite =>
...when you were a little girl

Ce déplacement n'est pas indispensable non plus mais il présente l'avantage de mettre en valeur ce que le locuteur a en tête : l'âge de sa patiente au moment de l'accident qu'il suppose et non sa taille. **Petite** signifie ici : dans votre enfance.

Version et thème 4

Clean out of my mind

1 ASTON. (*going to below the fireplace*). See this plug? Switch it on here, if you like. This little fire.
DAVIES. Right, mister.
ASTON. Just plug in here.
5 DAVIES. Right, mister.
ASTON. goes towards the door.
(*Anxiously*). What do I do?
ASTON. Just switch it on, that's all. The fire'll come on.
DAVIES. I tell you what. I won't bother about it.
10 ASTON. No trouble.
DAVIES. No, I don't go in for them things much.
ASTON. Should work. (*Turning*). Right.
DAVIES. Eh, I was going to ask you, mister, what about this stove? I mean, do you think it's going to be letting out any ... what do
15 you think?
ASTON. It's not connected.
DAVIES. You see, the trouble is, it's right on top of my bed, you see? What I got to watch is nudging ... one of them gas taps with my elbow when I get up, you get my meaning?

20 *He goes round to the other side of the stove and examines it.*

ASTON. There's nothing to worry about.
DAVIES. Now look here, don't you worry about it. All I'll do, I'll keep an eye on these taps every now and again, like, you see. See they're switched off. You leave it to me.
25 ASTON. I don't think...
DAVIES. (*coming round*). Eh, mister, just one thing... eh... you couldn't slip me a couple of bob, for a cup of tea, just, you know?
ASTON. I gave you a few bob last night.
DAVIES. Eh, so you did. So you did. I forgot. Went clean out of
30 my mind. That's right. Thank you, mister. Listen. You're sure now, you're sure you don't mind me staying here? I mean, I'm not the sort of man who wants to take any liberties.

Harold Pinter, *The Caretaker*, 1960, Methuen.

Des paroles toujours inattendues

1 Patchouli : Ah, non et non ! Il devient impossible de travailler. C'est ici ma chambre. Je n'ai sur terre que douze mètres carrés entourés de murs; je veux y être seul et tranquille.
M. Saint-Croix : Mon fils, tu t'emballes bien vite...
5 Patchouli : Mais non... Que voulez-vous ?
Madame Saint-Croix : Nous partons en voiture chez les Desmottes. Nous accompagnes-tu ?
Patchouli : Pourquoi vous accompagnerais-je aujourd'hui, puisque je n'y vais jamais ?
10 Madame Saint-Croix : Et toi, pourquoi mener cette vie sauvage ? Tu te caches comme un gosse malheureux. Tu es triste...
Patchouli : Pas du tout. Mais à quoi bon m'ennuyer chez des gens que j'ennuie ?
Madame Saint-Croix : Tu t'ennuies donc partout, que tu ne veux
15 fréquenter personne ? Un telle réserve paraît étrange, je sais qu'on en parle, et elle me chagrine.
Patchouli : Je commerce avec autant de gens que toi. Seulement tes amis et les miens ne vivent pas à la même époque.
Madame Saint-Croix : Non. Je t'en prie, – parle comme tout le
20 monde. Déjà, que ta malheureuse sœur ne dise que des paroles auxquelles on ne s'attend pas...
Patchouli (*interrompt*) : Exactement, – des paroles toujours inattendues.

Armand Salacrou, *Patchouli*, 1978, Gallimard.

Propositions de traduction 4

Ça m'était complètement sorti de la tête

1 ASTON. (*Il va jusqu'à la cheminée et se baisse*) Vous voyez cette prise ? Vous allumez là, si vous voulez. Ce petit chauffage.
DAVIES. Bien m'sieur.
ASTON. N'y a qu'à le brancher là.
5 DAVIES. Bien m'sieur.
Aston se dirige vers la porte.
(*Inquiet*) Qu'est-ce que je fais ?
ASTON. Vous n'avez qu'à l'allumer, c'est tout. Le chauffage se mettra en marche.
10 DAVIES. Vous voulez que je vous dise, je n'y toucherai pas.
ASTON. Pas de problème.
DAVIES. Non, ça ne me plaît guère, ces trucs-là.
ASTON. Ça devrait marcher. (Il se tourne). Bien.
DAVIES. Heu, j'allais vous demander, m'sieur, et cette cuisinière ?
15 J'veux dire, vous croyez qu'elle peut laisser échapper du... qu'est-ce que vous en pensez ?
ASTON. Elle n'est pas branchée.
DAVIES. Vous voyez, le problème, c'est qu'elle est juste au-dessus de mon lit, vous voyez ? Il faut que j'fasse gaffe à pas donner un coup de
20 coude... dans un d'ces robinets de gaz quand je me lève, vous voyez ce que je veux dire ?

Il va de l'autre côté de la cuisinière et l'examine.

ASTON. Il n'y a rien à craindre.
DAVIES. Écoutez, vous n'avez rien à craindre. C'que je ferai simplement,
25 je surveillerai ces robinets de gaz de temps en temps, comme qui dirait, vous voyez. Pour vérifier qu'ils sont fermés. Vous pouvez compter sur moi.
ASTON. Je ne crois pas que...
DAVIES. (*Il se rapproche*). Heu, m'sieur, rien qu'une chose... heu vous pourriez pas me filer deux trois pièces, pour une tasse de thé, enfin,
30 vous voyez ?
ASTON. Je vous ai déjà donné quelque chose hier soir.
DAVIES. Ah oui, c'est vrai, c'est vrai. J'avais oublié. Ça m'était complètement sorti de la tête. C'est juste. Merci, m'sieur. Écoutez, vous êtes bien sûr, vous êtes sûr que ça ne vous dérange pas que je reste ici ? Je
35 veux dire, j'suis pas le genre à prendre des libertés.

Always unexpected words

1 Patchouli: No, no, no! It's becoming impossible to work. This is my room. These twelve square metres and the walls around them are all I've got on earth, and I want to be left alone here.

M. Saint-Croix: My son! you get worked up so easily.

5 Patchouli: No, I don't. What do you want?

Madame Saint-Croix: We're driving over to the Desmottes. Are you coming with us?

Patchouli: Why should I come with you today since I never come?

Madame Saint-Croix: And why should you live like a recluse? You 10 hide away like an unhappy child. You look sad...

Patchouli: Not at all. But what's the point of getting bored with people I bore?

Madame Saint-Croix: So you get bored everywhere, and that's why you don't want to see anyone? Such reserve seems strange: I know it's 15 being talked about and it upsets me.

Patchouli: I have as much social intercourse as you have. Only your friends and mine don't live in the same era.

Madame Saint-Croix: Please don't, speak normally. It's bad enough as it is, with your wretched sister only saying things no one expects...

20 Patchouli (*interrupting*): That's exactly it: words that are always unexpected.

CHAPITRE 5

Les faux-amis

5

Les faux-amis

Exercices 5

Les faux-amis sont des mots anglais qui font immédiatement penser à un mot français de forme identique ou semblable et qui cependant ne peuvent être traduits par ce mot.
Par exemple **versatile** (français) et ***versatile*** (anglais) ont une étymologie identique : l'adjectif latin **versatilis** qui signifie **mobile**. Mais au fil du temps, le français l'a interpreté de manière négative et a donné à l'adjectif **versatile** le sens de : **inconstant, lunatique** tandis que l'anglais l'envisage positivement et le définit comme : ***talented***, ***adaptable***.
La différence entre les sens des deux termes anglais et français varie selon les cas.

5-1
Voici tout d'abord un échantillon de faux-amis totaux (ils ne sont jamais traduits par le mot français qui leur ressemble) et opaques (le mot français correspondant n'éclaire pas le sens du mot anglais).

*He looked at me with a **benevolent** smile.*

Le mot ***benevolent*** ne se traduit jamais par **bénévole** et n'a rien de commun avec **bénévole** puisqu'il doit être traduit par **bienveillant**. Les faux-amis suivants sont aussi totaux et opaques. Traduisez les.

1 The ***journey*** to Brussels only takes about two hours.
2 Try again, and ***eventually*** you will manage.
3 Mr Maxwell couldn't come but his ***deputy*** will answer your questions.

4 You were probably ***deceived*** by its attractive appearance.
5 He always was a ***versatile*** child and has now proved what a great scientist he will be.

5-2

Comme les précédents les faux-amis suivants ne peuvent jamais être traduits par les mots français qui leur ressemblent. Contrairement aux précédents cependant, ils ne sont pas opaques parce que leur sens n'est pas sans rapport avec ces mots français. Par exemple,

How many books can you borrow from this ***library?***

Le mot ***library*** signifie **bibliothèque**, qui n'est pas sans rapport avec le français **librairie**. Il s'agit donc de faux-amis plus dangereux que ceux que vous venez de voir. Traduisez les phrases suivantes :

1 It's very hard for young people in your position. Believe me, I do ***sympathize.***
2 He slapped her and she screamed in ***agony.***
3 The ***dispute*** in the coal industry had lasted five months.
4 He ***pretended*** he didn't see me.
5 The explosion left three ***corpses*** on the ground.
6 He could not have said something so cruel if he hadn't been inspired by ***malice.***
7 I'll drink a whisky and soda to celebrate this ***reunion***.

5-3

Contrairement aux mots présentés dans les deux exercices précédents, les mots suivants sont des faux-amis partiels, c'est-à-dire qu'ils doivent dans certains cas, mais dans certains seulement, être traduits par le mot français qui leur ressemble. Soit les deux phrases suivantes :

You don't stand a ***chance*** *of winning.*
I met him by sheer ***chance.***

Dans le premier cas, ***chance*** peut être traduit par **chance**.

Tu n'as aucune chance de réussir.

Mais dans le second, il doit être traduit par **hasard**.

C'est pur hasard si je l'ai rencontré.

Dans cet exercice, tous les faux-amis sont des faux-amis partiels comme ***chance***. Dans chaque paire le mot problématique doit être traduit une fois par le mot français auquel il fait penser, et une fois autrement.

1 My ***memory*** is not as good as it used to be.
  I have very few ***memories*** of my childhood in Cairo.
2 People usually ***retire*** at the age of 65, don't they?
  Would you mind if I ***retired*** to the smoking-room now?
3 He could never ***demonstrate*** that she was guilty.
  People will sign petitions and ***demonstrate*** all over the country.
4 Does Barclay's have a ***branch*** in your town?
  He was sitting on the tallest ***branch*** with a saw in his hand.
5 I've always ***supported*** him, even though I couldn't stand him.
  The pillar ***supports*** the bridge.
6 He ***disposed*** the troops at the foot of the hills.
  However are we going to ***dispose*** of the waste?
7 I've always been a very ***anxious*** person.
  They're ***anxious*** to meet the new boss.
8 There will be a summit ***conference*** next month in Vienna.
  The Labour Party will hold its annual ***conference*** in Blackpool.
9 At last she ***confesses*** she has been talking to a priest.
  She ***confessed*** to a priest in Soho.
10 What's the candidate's ***position*** on abortion?
  I'm in no ***position*** to buy a new car at the moment.
11 The judge decided to ***suspend*** judgment.
  Shops were requested to ***suspend*** business.
12 ***Competition*** in the textile industry has been fierce for several years now.
  There is a lot of ***competition*** in this school.
13 There are three ***characters*** in the story.
  She's never really shown any force of ***character.***

5-4

Suppose you have to translate the following sentence:

Je suis invité à un cocktail ce soir.

You would naturally be tempted to translate **cocktail** as ***cocktail*** because you know that this word was imported from English into French. You would be wrong however, because when you refer not to a drink but to a party, as is the case in the above example, you must say ***cocktail party***:

I've been invited to a cocktail party tonight.

The following words all belong to this category of false friends: they have been imported from English into French but cannot be translated literally.

1 Il y a maintenant un fast food en face du musée.
2 Est-ce que tu veux encore des chips ?
3 Il m'a fallu une demi-heure pour trouver un parking.
4 On se chauffe au fuel.
5 Tu viens faire un footing ?

5-5

Les mots suivants, très courants, ne ressemblent pas à des mots français mais ce sont des faux-amis dans les exemples qui suivent, dans la mesure où ils ne peuvent être traduits par le mot français qui leur correspond habituellement. Par exemple dans :

I understand you wanted to see me, Miss Fox.

il est impossible de traduire ***understand*** par **comprendre**, bien que son sens ici ne soit pas essentiellement différent de son sens de base. On peut gloser cet exemple par :

D'après ce que je comprends, vous vouliez me voir .

et donc traduire par :

On me dit que vous voulez me voir, mademoiselle Fox.

De la même façon vous devez interpréter les éléments soulignés ci-dessous et ne pas les traduire par leur correspondant le plus courant :

1 Many analysts ***feel*** the recession will soon be over.
2 Something ***very*** stupid happened.
3 Where do you ***think*** you are? Who do you ***think*** you are?
4 That's ***completely*** my fault.
5 You remember Joy the woman I thought was dead. Well she wasn't killed in that plane crash ***after all*** .

5-6

La notion de faux ami peut être étendue à certains problèmes de grammaire. Dans ce cas ce ne sont plus des mots qui sont les faux-amis, mais des marques grammaticales, comme les flexions verbales par exemple. Si vous avez à traduire :

'Where've you been?' he asked his wife when she arrived.

il ne faut pas employer un passé composé, temps qui correspond formellement au 'present perfect' employé ici, mais un imparfait :

> « Où étais-tu ? » demanda-t-il à sa femme quand elle arriva.

Pour la traduction des exemples suivants, il ne faut jamais traduire en employant le temps français qui ressemble le plus au temps de la phrase anglaise.

1 ***I've been expecting*** this for some time.
2 When Constable returned home he ***had been*** a student at the Royal Academy for three years.
3 I would never get a secretary who ***didn't*** speak English.
4 Every day, I ***would*** have a walk in the woods.
5 Oil ***will*** float on water.
6 I will go when I ***am*** ready.

5-7

You have the same difficulty when translating from French into English. The most common grammatical faux-ami from French into English is the 'passé composé'. For instance :

> Ils ont mangé ensemble et puis ils sont allés danser.

must be translated by :

> *They had dinner together and then they went dancing.*

As you know however, the French 'passé composé' is only partially a faux-ami. It is sometimes translated as a present perfect.
To translate the following sentences correctly, do not use the verb form that corresponds to the French one.

1 Je serai charpentier quand je **serai** grand.
2 J'**aurais** quinze ans, je ne dirais pas mais à mon âge …
3 Et Napoléon **mourra** deux ans plus tard sur l'île de Saint-Hélène.
4 Ça fait combien de temps que tu **habites** ici ?
5 J'**ai eu** un accident hier.
6 Il **était** là depuis une heure lorsque la bombe explosa.
7 L'école **était** là où se trouve maintenant la mairie.

Solutions 5

5-1

1 Le voyage / trajet jusqu'à Bruxelles ne prend que deux heures.
2 Essaie encore, et en fin de compte / finalement tu y arriveras.
3 M. Maxwell n'a pas pu venir mais son adjoint / remplaçant va répondre à vos questions.
4 Vous avez probablement été trompés par son apparence séduisante.
5 Il a toujours été un enfant doué et il a maintenant prouvé qu'il sera un grand scientifique.

5-2

1 C'est très dur pour les jeunes gens dans votre situation. Croyez-moi, je vous comprends / je vous plains.
2 Il lui mit une claque et elle hurla de douleur.
3 Le conflit dans l'industrie charbonnière dure depuis cinq mois.
4 Il fit comme s'il ne m'avait pas vu. / Il m'ignora.
5 On trouva trois cadavres sur le sol après l'explosion.
6 Il n'y a que la méchanceté qui ait pu lui suggérer quelque chose d'aussi cruel.
7 Je vais prendre un whisky soda pour fêter ces retrouvailles.

5-3

1 mémoire — souvenir
2 prendre sa retraite — se retirer
3 démontrer — manifester
4 succursale, agence — branche
5 soutenir — supporter
6 disposer — se débarrasser
7 anxieux — impatient
8 conférence — congrès ou convention
9 avouer, reconnaître — se confesser
10 position, opinion — mesure (être en mesure de)
11 suspendre — interrompre, arrêter
12 concurrence — émulation
13 personnage — caractère

5-4

1 There is a fast food restaurant in front of the museum.
2 Do you want some more crisps? (US: chips)

3 It took me half an hour to find a car park. (US: parking lot)
4 We use heating oil.
5 Are you coming jogging with me?
Exemple 4 : *fuel* désigne n'importe quel type de carburant.

5-5
1 Beaucoup d'observateurs pensent / estiment que la récession sera bientôt terminée. (On peut aussi envisager une conversion : **ont le sentiment**)
2 Il est arrivé quelque chose de parfaitement / complétement stupide. (notez que l'on pourrait traduire littéralement ***very*** à condition de ne pas employer **stupide** : **quelque chose de très bête**).
3 Où vous croyez-vous ? Pour qui vous prenez-vous ?
4 C'est entièrement ma faute.
5 Tu te souviens de Joy, la femme que je croyais morte. Eh bien elle n'a pas été tuée dans cet accident d'avion, en fin de compte / en fait.

5-6
1 Cela fait un moment que j'attends cela.
2 Lorsque Constable retourna dans son Suffolk natal, il étudiait à l'Académie Royale depuis trois ans.
3 Je ne prendrais jamais une secrétaire qui ne parle pas l'anglais.
4 Chaque jour j'allais me promener dans les bois.
5 L'huile flotte sur l'eau.
6 J'irai quand je serai prêt.

5-7
1 I will be a carpenter when I am older.
2 If I were fifteen, I wouldn't say no but at my age…
3 And Napoleon was to die two years later on St Helen's Island.
4 How long have you been living here?
5 I had a car crash yesterday.
6 He had been there for an hour when the bomb exploded.
7 The school used to be where the town hall now stands.

Version 5

Plan de travail

I Instructions
II Analyse d'erreurs
III Traduction proposée
IV Étude de procédés de traduction

Let the meaning choose the word

1 What is above all needed is to let the meaning choose the word and not the other way about. In prose, the worst thing one can do with words is to surrender to them. When you think of a concrete object, you think wordlessly, and then, if you want to
5 describe the thing you have been visualising, you probably hunt about till you find the exact words that seem to fit it.
When you think of something abstract you are more inclined to use words from the start and unless you make a conscious effort to prevent it, the existing dialect will come rushing in and do the
10 job for you, at the expense of blurring or even changing your meaning. Probably it is better to put off using words as long as possible and get one's meaning as clear as one can through pictures and sensations.
Afterwards one can choose — not simply accept — the phrases
15 that will best cover the meaning and then switch round and decide what impression one's words are likely to make on another person. This last effort of the mind cuts out all stale or mixed images, all prefabricated phrases, needless repetitions, and humbug and vagueness generally.

George Orwell, "Politics and the English Language", 1946,
In *The Collected Essays*, Vol. 4, 1970, Penguin Books.

I Instructions

Dans ce texte, George Orwell, l'auteur de *1984* et de *Animal Farm*, explique à un public de journalistes la démarche à suivre pour s'exprimer de façon claire et précise. Le texte lui-même est une illustration de cette démarche puisqu'il parvient à décrire un objet abstrait dans une langue qui est un modèle de simplicité et de clarté.

Il nous intéresse ici pour deux raisons. D'une part, parce qu'il présente des problèmes de traduction spécifiques : contrairement aux textes précédents, c'est un texte de réflexion. Par conséquent, ce que le traducteur doit se représenter ici, ce n'est plus un paysage qu'il faut visualiser ou une scène de théâtre qu'il faut mimer mais le travail mental de l'expression verbale, c'est-à-dire quelque chose de purement abstrait.

D'autre part, ce texte décrit très bien la démarche du traducteur. Ceci n'est pas surprenant puisque la traduction est un cas particulier de l'exercice d'expression. Ou si l'on veut, inversement, l'expression est un cas particulier de traduction, la traduction d'une idée en mots. Vous y retrouverez les deux étapes dont il a été question dans le premier chapitre de ce livre :

1- get one's meaning as clear as one can...

2- Afterwards one can choose ... the phrases that will best cover the meaning.

La difficulté que présente ce passage tient donc à la nécessité de le penser, ce qui veut dire s'interroger sur la signification qu'il faut donner à des expressions telles que : ***hunt about, existing dialect, switch round, humbug*** qui sont moins simples qu'elles ne paraissent.

II Analyse d'erreurs

1- a conscious effort ≠
un effort consciencieux

Il n'est pas absurde de penser à l'adjectif **consciencieux** dans ce contexte puisqu'en effet celui qui suit le conseil d'Orwell ne peut qu'être consciencieux. Le choix de ce terme témoigne d'une recherche du mot juste parmi les mots apparentés à la traduction directe, mais cette recherche n'a pas été menée à son terme (comme par exemple avec celui proposé dans le corrigé :

délibéré) et de fait, la traduction de ***conscious*** par **conscient** aurait été en définitive préférable.
Cette difficulté est due à une perception insuffisante du distinguo entre les deux termes de la paire **conscient / consciencieux** qui correspondent à un seul nom en français : **conscience**, tandis que chacun des termes de la même paire en anglais ***conscious / conscientious*** a au moins un nom qui lui correspond en propre : ***conscience*** ou ***consciousness / conscientiousness***.

2- ...changing your meaning ≠
... changer votre sens

Cette traduction mot à mot est très maladroite et rend l'ensemble de l'expression difficile à comprendre. L'étudiant qui a traduit ainsi a été bloqué par la traduction directe de ***meaning*** qui s'est imposée à lui. Il aurait fallu :

– percevoir la maladresse de la traduction à laquelle elle conduit.

– ensuite, mettre ***meaning*** en relation avec le verbe dont il est dérivé, et dont la traduction est sensiblement différente, pour repartir d'un autre pied et transformer l'ensemble du syntagme ***your meaning***.

C'est ainsi que l'on a pu proposer :

déformer ce que l'on voulait dire

3- ... using words as long as possible ≠
utiliser des mots aussi longs que possible

Cette erreur provient d'une mauvaise analyse syntaxique de l'anglais : ***long*** est certes le plus souvent un adjectif, mais il peut aussi être adverbe, comme ici. Il signifie donc **longtemps** et non **long**. Il faut lire le texte en faisant une pause après ***words***. Il faudra donc écrire : « ne pas se servir aussi longtemps que possible ».

4- the mind cuts out all ... images ≠
l'esprit découpe toutes les images...

Cette erreur est due à une mauvaise compréhension du verbe ***cut out***. Il faut savoir en effet que dans ce type de verbe composé, la particule adverbiale, en l'occurrence ***out***, a au moins autant de poids que le verbe dans la formation de la signification résultante. Le traducteur francophone débutant a tendance à la considérer comme un appendice secondaire.

La particule ***out*** exprime en effet le résultat (abstrait) de l'opération désignée par le verbe (concret) ***cut***. Le français préférant en règle générale la description abstraite là où l'anglais choisit l'illustration imagée, et mettant l'accent sur le résultat plutôt que sur le moyen, on préférera un verbe abstrait comme **éliminer** au verbe **découper**.
Le texte d'Orwell dans son ensemble est d'ailleurs un très bon exemple de cette préférence anglo-saxonne pour l'image et le concret.

III TRADUCTION PROPOSÉE

Voici une traduction possible avec quelques variantes pour les éléments en italiques.

Ce qu'il faut avant tout, c'est laisser le sens choisir le mot, et non l'inverse. En prose, la plus grande erreur que l'on puisse faire avec les mots, c'est de leur céder.

Ce qui est crucial, c'est de

Lorsque l'on pense à un objet concret, on pense sans se servir de mots, et puis en général, si l'on veut décrire l'objet que l'on s'est représenté, on tâtonne jusqu'à ce que l'on trouve les mots qui semblent appropriés.
Quand on pense à quelque chose d'abstrait, *on a davantage tendance* à se servir de mots dès le départ, et si l'on ne fait pas un effort délibéré pour l'empêcher, un flot *d'expressions toutes faites* s'impose à nous et nous dispense de réfléchir, ce qui pourra brouiller et même déformer ce que l'on voulait dire. Il est sans doute préférable de ne commencer à se servir de mots que le plus tard possible, et *d'éclaircir* d'abord sa pensée autant que possible à l'aide d'images et de sensations. Ensuite on peut choisir, – au lieu *d'accepter passivement* – les expressions qui traduiront le mieux sa pensée. C'est alors que l'on se mettra à la place de quelqu'un d'autre pour évaluer l'effet que *ces mots* produiront.

on est davantage enclin
de lieux communs
de clarifier
de se contenter d'accepter
les mots choisis

Grâce à ce dernier effort de l'esprit, on peut éliminer toutes les images usées, les clichés, *les images confuses*, toutes les expressions toutes faites, les répétitions inutiles, et d'une façon générale *tout le charabia et les imprécisions*.

Dans ce dernier effort, l'esprit elimine
ce qui est embrouillé
tout ce qui est creux et vague

IV ÉTUDE DE PROCÉDÉS DE TRADUCTION

1- you think wordlessly =>
on pense sans se servir de mots

Vous n'aviez jamais rencontré le mot ***wordlessly*** et vous le chercherez en vain dans un dictionnaire. Contrairement au français, l'anglais crée facilement des néologismes comme celui-ci, dont la formation est transparente dès que l'on sait identifier les suffixes très courants ***-less*** et ***-ly***.
Inutile de chercher un équivalent en français. La seule possibilité consiste à *développer le mot en une proposition*. Le français est analytique là ou l'anglais est synthétique. La recherche de la traduction idoine part donc de la racine du mot ***word***.

2- the existing dialect =>
un flot d'expressions toutes faites

Normalement, ***dialect*** désigne la même chose que le français **dialecte**. On voit bien néanmoins que ce n'est pas d'un idiome régional, d'un patois qu'Orwell parle ici. Le mot ne retient ici de son sens propre que la connotation négative, sensible en français dans le mot **patois**, de « parler local, donc incompréhensible ».
Il faut de plus éclaircir le sens de ***existing***. Il se comprend par opposition avec la suite : les mots qui viennent immédiatement à l'esprit sont ceux que l'on n'a pas choisis, donc du préfabriqué linguistique qui ne peut pas convenir à ce que l'on a en tête.
Par ailleurs, **un flot** traduit le verbe qui suit : ***will rush in***.
Cet exemple montre comment les traductions de mots unis dans un même syntagme dépendent l'une de l'autre, comment une *transposition* conduit à une autre.

3- put off using words as long as possible =>
ne commencer à se servir de mots que le plus tard possible

La négation implicite dans ***put off*** a été explicitée dans la traduction. Notez que cette transformation n'est pas indispensable ici. On aurait pu écrire plus littéralement:

> ne pas se servir de mots aussi longtemps que possible.

4- switch round =>
se mettre à la place de quelqu'un d'autre

C'est sans doute l'expression la plus difficile à comprendre dans ce texte et la solution choisie ici consiste à se servir de ***another person*** qui se trouve à la fin de la même phrase pour rendre la particule adverbiale ***round***. En effet ce qu'Orwell conseille c'est, après avoir choisi une expression, de l'évaluer avec l'œil critique de celui qui va lire. Il s'agit en fait d'objectiver son propre texte.

C'est d'ailleurs le meilleur conseil que l'on puisse donner à un étudiant-traducteur.

Thème 5

Plan de travail

L'aube et le crépuscule

1 Pour les savants, l'aube et le crépuscule sont un seul phénomène et les Grecs pensaient de même, puisqu'ils les désignaient d'un mot que l'on qualifiait autrement selon qu'il s'agissait du soir ou du matin. Cette confusion exprime bien le prédominant souci des spé-
5 culations théoriques et une singulière négligence de l'aspect concret des choses. [...]. Mais en réalité, rien n'est plus différent que le soir et le matin. Le lever du jour est un prélude, son coucher, une ouverture qui se produirait à la fin au lieu du commencement comme dans les vieux opéras. Le visage du soleil annonce les moments
10 qui vont suivre, sombre et livide si les premières heures de la matinée doivent être pluvieuses ; rose, léger, mousseux quand une claire lumière va briller. Mais de la suite du jour, l'aurore ne préjuge pas. Elle engage l'action météorologique et dit: il va pleuvoir, il va faire beau. Pour le coucher de soleil, c'est autre chose ;
15 il s'agit d'une représentation complète avec un début, un milieu et une fin. Et ce spectacle offre une sorte d'image en réduction des combats, des triomphes et des défaites qui se sont succédé pendant douze heures de façon palpable, mais aussi plus ralentie. L'aube n'est que le début du jour; le crépuscule en est une répétition.

Claude Lévi-Strauss, *Tristes tropiques*, 1955, Plon.

I INSTRUCTIONS

Ce texte du grand ethnologue français offre un subtil mélange de poésie et de réflexion, d'observations concrètes et de considérations théoriques. Il faut à la fois respecter la rigueur du raisonnement, la précision de la langue, et rendre l'atmosphère vaporeuse de la description.

Prenez garde en particulier aux articles. **L'aube, le crépuscule** ainsi que toutes les expressions synonymes renvoient aux notions générales et non à des occurrences particulières de ces notions. La traduction de l'article n'est pas toujours la même pour **les scientifiques, les Grecs, des (de les) spéculations théoriques, les vieux opéras, le visage du (de le) soleil, image en réduction des (de les) combats...**

II Analyse d'erreurs

1- une singulière négligence de l'aspect concret des choses ≠
a singular carelessness of the concrete aspect of things

Il n'est pas possible d'employer ***carelessness*** car le groupe nominal signifierait que c'est l'aspect concret des choses qui est négligent. Pensez par exemple à une expression française comme **l'amour de Dieu** qui est ambiguë puisqu'elle peut désigner l'amour que Dieu éprouve ou celui qu'on éprouve pour lui. En anglais, ***the love of God*** présente la même ambiguïté mais ***God's love*** ne peut désigner que le premier.

2- rien n'est plus différent que le soir et le matin ≠
nothing is more different than morning and evening

Une traduction littérale comme celle-ci est impossible parce que le sujet de la phrase est singulier, alors qu'il désigne en réalité deux objets distincts. L'anglais, qui est plus logique en la circonstance, exige un sujet qui manifeste ce pluriel.

3- ...qui se produirait à la fin ≠
...that would take place at the end

Le conditionnel français n'a pas sa valeur fondamentale dans cet exemple, c'est-à-dire qu'il ne répond pas à une subordonnée conditionnelle en si, même implicite. C'est un effet de style, qui montre le caractère spéculatif, irréel de la comparaison entre le coucher du soleil avec l'ouverture d'un opéra. Le conditionnel anglais ne peut prendre cette valeur stylistique.

4- ...comme dans de vieux opéras ≠
...as it was in old operas

Primo, la proposition qui commence par ***as*** peut être elliptique comme la proposition française correspondante : il n'est pas indispensable de lui ajouter un sujet et un verbe.

Secundo, si l'on choisit néanmoins de les ajouter, il faut bien veiller à ce que sujet et auxiliaire reprennent le sujet et le verbe sous-entendus, à savoir **ouverture** et **se produirait**. L'auxiliaire ***was*** ne pourrait reprendre le verbe **se produirait** que si sa traduction en anglais comportait aussi cet auxiliaire.

5- si les premières heures de la matinées doivent être pluvieuses ≠
if the first hours of the morning must be rainy

C'est la traduction de **doivent** qui pose problème ici. Il n'exprime pas une nécessité logique et encore moins une obligation. Sa valeur est celle de la prédiction d'un évènement. Il faut penser à la forme anglaise qui convient par exemple à la traduction de :

Il est prévu que le train arrive à l'heure exacte.

Have to ne convient pas non plus.

6- mousseux ≠
mossy

C'est un cas de mauvais emploi du dictionnaire. **Mossy** se dira d'une écorce couverte de mousse, et n'a donc rien à voir avec l'aspect du soleil. De même ***sparkling*** qualifie un vin mousseux, c'est-à-dire pétillant. Enfin ***soapy***, formé à partir de ***soap***, le savon désigne l'aspect d'une eau savonneuse et ne convient pas non plus.

7- Pour le coucher de soleil, c'est autre chose ≠
For twilight, it is something different.

C'est la construction qui ne peut être rendue littéralement ici. La thématisation (mise en relief de **coucher de soleil**, au début de la phrase) est rare en anglais. Il faut donc employer une structure plus simple.

8- mais aussi plus ralentie ≠
but also slower

slower est le comparatif de l'adjectif ***slow***, mais ici ce n'est pas un adjectif qu'il faut employer puisque le nom auquel s'applique **ralentie** est sous-entendu. Il faut lire:

de façon palpable mais aussi de façon plus ralentie.

III TRADUCTION PROPOSÉE

Dawn and dusk

For scientists, dawn and dusk are *one and the same* phenomenon; the Greeks thought *likewise*, since they referred to both with one word, which they qualified differently according to whether morning or evening was meant. This confusion is a telling sign of the predominant concern for theoretical speculations as well as of a striking *disregard for* the concrete aspect of things. [...] But in reality no two things are more different than morning and evening. Daybreak is a prelude, nightfall an overture *taking place* at the end instead of the beginning, as in ancient operas. *The face of the sun* heralds the moments that will follow: dark and *livid* if the first hours of the morning are to be rainy; pink, light and *frothy* when the day is going to be bright. But as for the remainder of the day, the dawn gives no indications. It sets meteorological phenomena into motion and says that it will be rainy or that it will be sunny. Twilight is something different — it is a complete performance with a beginning, a middle and an end. And this spectacle offers a sort of miniature picture of all the battles, triumphs and defeats that have *succeeded one another* for twelve hours palpably, yet also more slowly. Dawn is *merely* the beginning of the day — dusk is a repetition of it.

a single
the same way
negligence of
occurring
The sun's face
pallid
foamy
followed upon one another
only / but

IV ÉTUDE DE PROCÉDÉS

1- ils les désignaient d'un mot =>
they referred to both with one word

La traduction de **les** par ***both***, dont l'équivalent n'existe pas en français, plutôt que par ***them*** permet d'expliciter la pensée de l'auteur, sans rallonger la phrase. ***Both*** insiste en effet sur ce qui rapproche les deux éléments considérés.

D'autre part l'opposition qui existe en anglais entre l'article ***a*** et le nombre ***one*** n'a pas non plus d'équivalent en français. L'emploi de ***one*** permet d'insister sur le fait qu'il n'y a qu'un *seul* mot en grec pour ces deux notions.

2- Cette confusion exprime bien le prédominant souci des spéculations théoriques =>
This confusion is a telling sign of the predominant concern for theoretical speculations

Une traduction littérale de **exprimer** par ***express*** ne serait pas très claire. Il est nécessaire d'interpréter le verbe **exprimer**, et plus précisément la combinaison de ce verbe avec l'adverbe **bien**. Pour Lévi-Strauss, l'existence d'un seul mot pour désigner à la fois l'aube et le crépuscule est *symptomatique* d'un état d'esprit. C'est un *indice révélateur* mais involontaire de cette attitude envers la nature.

3- Mais de la suite du jour, l'aurore ne préjuge pas =>
But as for the remainder of the day, the dawn gives no indications.

Le traduction littérale de **préjuger** par ***prejudge*** ou par ***foresee*** est impossible parce que ces verbes exigent un sujet humain, ou du moins animé. On ne pourrait les envisager avec un sujet tel que ***dawn*** que si l'aurore était personnifiée, ce qui n'est pas véritablement le cas ici.

4- ...et dit : il va pleuvoir, il va faire beau.=>
and says that it will be rainy or that it will be sunny.

L'emploi des deux points semble indiquer qu'il s'agit de propos rapportés en style direct. Cependant il n'y a pas de guillemets. Dans la langue d'arrivée, il est préférable d'opter pour la forme orthodoxe du discours indirect ou bien alors ajouter les guillemets nécessaires au discours direct. On pourrait écrire :

... and says :'It will be rainy.' or 'It will be sunny.'

Version et thème 5

In praise of idleness

1 Like most of my generation, I was brought up on the saying: 'Satan finds some mischief still for idle hands to do.' Being a highly virtuous child, I believed all that I was told, and acquired a conscience which has kept me working hard down to the pre-
5 sent moment. But although my conscience has controlled my actions, my opinions have undergone a revolution. I think that there is far too much work done in the world, that immense harm is caused by the belief that work is virtuous, and that what needs to be preached in modern industrial countries is quite different
10 from what always has been preached. Everyone knows the story of the traveller in Naples who saw twelve beggars lying in the sun (it was before the days of Mussolini), and offered a lira to the laziest of them. Eleven of them jumped up to claim it, so he gave it to the twelth. This traveller was on the right lines. But in
15 countries which do not enjoy Mediterranean sunshine idleness is more difficult, and a great public propaganda will be required to inaugurate it. I hope that, after reading the following pages, the leaders of the YMCA will start a campaign to induce good young men to do nothing. If so, I shall not have lived in vain.

Bertrand Russell, *In praise of Idleness,* 1935, George Allen & Unwin.

La passion

1 On a souvent tenté d'expliquer le mysticisme en le « ramenant » à quelque déviation de l'amour humain, c'est-à-dire en fin de compte : à la sexualité.
Or l'examen du Roman de Tristan et de ses sources historiques
5 nous a conduit à renverser le rapport. C'est ici la passion mortelle qu'il faut « ramener » à une mystique, plus ou moins consciente et précise.
Il est certain que ce seul exemple n'autorise pas à des conclusions générales. Mais il permet au moins de reposer un pro-
10 blème que le XIXe siècle matérialiste s'était cru en mesure de trancher au détriment de la mystique. A vrai dire, je ne suis pas très sûr que ce problème comporte une solution définitive et simple. Mais il me paraît important de reconnaître au moins sa position.
Qu'on parte de la passion ou de la mystique pour tenter de ra-
15 mener l'un à l'autre, ce que l'on admet implicitement, c'est l'existence d'un rapport quelconque entre ces deux réalités. Reste à savoir dans quelle mesure ce rapprochement ne nous est pas suggéré par la seule nature du langage. On a remarqué depuis longtemps l'analogie des métaphores mystiques et amoureuses.
20 Mais d'une entière analogie des mots, peut-on conclure à une entière analogie des réalités qu'ils désignent ?

Denis de Rougemont, *L'Amour et l'occident,* 1972, Plon.

Propositions de traduction 5

Éloge de l'oisiveté

1 Comme la plupart des gens de ma génération, j'ai reçu une éducation fondée sur le proverbe : « L'oisiveté est la mère de tous les vices. » Comme j'étais un enfant très sage, je croyais tout ce que l'on me disait et depuis lors, ma conscience ainsi developpée me pousse à travailler
5 avec acharnement. Mais bien que ma conscience contrôle mes actes, mes opinions ont changé radicalement. Je crois que l'on travaille beaucoup trop de par le monde, qu'un tort immense est causé par la croyance à la vertu du travail, et que la bonne parole qu'il faut répandre dans les pays industrialisés aujourd'hui est très différente de
10 celle que l'on y a toujours prêchée. Tout le monde connaît l'histoire de ce voyageur à Naples qui vit douze mendiants allongés au soleil (c'était avant Mussolini), et qui offrit une lire au plus paresseux. Comme onze d'entre eux se levèrent d'un bond pour la réclamer, il la donna au douzième. Ce voyageur était sur la bonne voie. Mais dans
15 les pays qui ne jouissent pas du soleil méditerranéen, l'oisiveté est plus difficile, et il faudra une vaste opération de sensibilisation pour son avènement. J'espère qu'après avoir lu les pages qui suivent, les responsables de l'Association des Jeunes Chrétiens entreprendront une campagne pour inciter les jeunes hommes de bonne volonté à ne
20 rien faire. S'il en est ainsi, ma vie n'aura pas été vaine.

Passion

There have been many attempts to explain away mysticism by reducing it to some deviant form of human love, that is to say, in the final analysis, to sexuality.
But the study of the Roman de Tristan and of its historical sources has shown that the relation must be reversed. In this case it is mortal passion that must be explained in terms of a more or less conscious and precise form of mysticism.
It is certain that no general conclusions may be drawn from this single example. But what one can do at least is restate a problem that nineteenth-century materialism thought it was in a position to solve at the expense of mysticism. To tell the truth, I am not really sure that there is a simple and definitive answer to this problem. But I find it necessary at least to recognize the need to pose the problem anew.
Whether one tries to explain passion in terms of mysticism or the reverse, what is implicitly admitted is the existence of some relation between the two realities. It remains to be seen to what extent this parallel is suggested merely by the nature of the language used. The analogy between the metaphors of passion and mysticism has long been established. But can one infer a complete analogy between realities from the complete analogy between the words that describe them?

CHAPITRE 6

La polysémie

6

La polysémie

Exercices 6

La grande majorité des mots d'une langue ont plus d'une signification. Vous avez déjà vu des exemples de cette polysémie au cours des chapitres précédents, en particulier dans celui sur les faux-amis.
Elle est à l'origine de nombreuses fautes de traduction parce qu'en effet le traducteur débutant n'est en général pas assez méfiant : il connaît une traduction pour un terme donné, et n'aperçoit pas la nuance qui oblige à choisir un autre mot dans la langue d'arrivée.

6-1
Un sens peut en cacher un autre : des mots très simples et que vous croyez connaître parfaitement comme ***want, but, never*** peuvent s'avérer délicats à traduire pour la simple raison qu'ils ont plusieurs significations. Comment les traduiriez-vous dans les phrases suivantes ?

1 'You don't ***want*** to believe everything you see on television, Dad.'
2 Rumour is ***but*** rumour.
3 She dived like a ***very*** mermaid.
4 The tea tastes terrible. Would it be something to ***do*** with the water?
5 I don't know the ***first*** thing about aerodynamics.
6 AIDS: if you think you can't get it, you're ***dead*** wrong.

6-2
The most common words can in fact be used in an infinite number of ways. Take the case of a verb like **faire**. It is often translated as ***make*** or ***do***. Try to find which one is needed to translate the following syntagms.

faire des efforts, faire du thé, faire des progrès, faire du sport, faire un gâteau, faire de la recherche, faire une faute, faire un sacrifice, faire des concessions, faire quelque chose de courageux

Now **faire**, which is one of the most basic verbs, often needs to be translated as another verb which is neither ***make*** nor ***do***, and whose meaning is closer to that of its complement. For instance **faire du piano** is, unsurprisingly, ***play the piano***. Can you find the verbs needed to translate the following phrases?

faire du droit, faire du saxo, faire une dissertation, faire un rêve, faire l'innocent, faire un long trajet, faire une promenade

In some cases, you will have to translate the phrase **faire + nom** as a single verb in English. Try and find the verbs which must be used in the case of:

faire des études, faire du tricot, faire du ski, faire peur, faire mal

Finally, the verb **faire** is part of many set phrases, which means that it is not translated separately from the other elements in these phrases. How woud you go about translating these expressions?

1 « J'ai cassé une assiette. — Ça ne fait rien. »
2 Je dois me lever à cinq heures mais ça ne me fait rien.
3 Il n'y a qu'une baguette, il faudra faire avec.
4 Il fait nuit.
5 Je ne fais que passer.

6-3

In the same way, you know that the French noun **affaire** has all sorts of meanings and therefore several translations. In the next series of examples, you have to choose between the most common ones that is to say ***business, affair*** or ***matter***.

1 Il a repris l'affaire de son père.
2 Ce n'est pas votre affaire.
3 L'affaire a été étouffée.
4 C'est une affaire à suivre.

In the following series, **affaire** cannot be translated as ***business, affair*** or ***matter***. You must try and think of something else.

5 J'ai votre affaire.
6 Il m'a tiré d'affaire.

7 J'en fais mon affaire.
8 C'est une bonne affaire.
9 Nous avons affaire à un cas difficile.
10 Il en a fait toute une affaire.

6-4

Some French adjectives do not have the same meanings when they are placed before or after the noun they qualify. Since adjectives are always placed before nouns in English, two different words are needed to translate these meanings. For instance **une chic fille** is not at all the same as **une fille chic**. The first one is ***a nice girl***, the second is ***a smart girl***. Which translations can you find for the following adjectives?

1 Il y a un **certain** progrès.
  Elle a fait des progrès **certains**.
2 Marat était audacieux, mais nullement **brave**.
  C'est un **brave** garçon.
3 Les femmes préfèrent les hommes **grands**, n'est-ce pas ?
  Les **grands** hommes sont souvent insupportables dans la vie quotidienne.

6-5

Un des traits remarquables de l'anglais, à l'origine de nombreuses fautes en version, est le fait que beaucoup de mots peuvent être utilisés comme verbes ou comme noms, comme adjectifs et comme noms, comme adjectifs et comme verbes, etc. Les mots soulignés ci-dessous sont connus d'abord comme noms, mais peuvent être employés comme verbes, ainsi que le montrent les exemples suivants. Traduisez les.

1 We'll ***breakfast*** in half an hour.
2 The back kitchen was at least cosy and warm, which was just as well, since Mr Wilcox virtually ***wintered*** in it.
3 You shouldn't have ***monkeyed*** about with that radio, it won't work now.
4 Attwood and I had not met for over a year; he had ***aged*** very much since I saw him last.
5 'Don't ***honey*** me all the time, will you?'
6 He ***mouths*** something through the glass which she cannot hear.

6-6

Un mot peut avoir plusieurs traductions parce que la langue d'arrivée fait une distinction que la langue de départ ignore. La polysémie n'apparaît que lors de la traduction. Par exemple l'anglais ignore la distinction entre **matin** et **matinée**. Le mot anglais ***morning*** devra donc être traduit par l'un ou l'autre selon les circonstances :

I saw her yesterday morning.	*I worked all morning.*
Je l'ai vue hier matin.	J'ai travaillé toute la matinée

Les mots suivants doivent être traduits de deux façons dans les paires de phrases ci-dessous.

1 I'm going to the theatre tomorrow ***evening***.
I left Liverpool at about four and arrived in London in the ***evening***.
2 We made a ***fire*** with bits and pieces, rags, old papers...
Police say the ***fire*** was caused by a leak in the oil tank.
3 The Volga is the longest ***river*** in Europe.
We decided to go and swim in the ***river***.

It is even more frequently the case that two English words correspond to a single French word. Try and find them.

4 Nous nous assîmes à **l'ombre** d'un grand chêne.
Les **ombres** des maisons dessinaient des formes fantastiques.
5 C'est quand, ton **anniversaire** ?
Tu n'as pas pu oublier notre **anniversaire** de mariage !
6 J'ai toujours vécu à la campagne, au milieu des **moutons**, des vaches et des porcs.
Je ne mange plus de **mouton**, ni de porc.
7 Vous avez **remarqué** sa démarche ?
Elle **remarqua** que responsable n'était pas synonyme de coupable.
8 Des **villes** comme New York, Chicago... ont maintenant des maires noirs.
Il quitta sa campagne pour s'installer dans la **ville** voisine.

6-7

La polysémie ne concerne pas que le vocabulaire puisque les marques grammaticales peuvent aussi avoir plusieurs significations qui devront se rendre de manières différentes dans l'autre langue. Considérez par exemple ces deux exemples de conditionnel :

Si j'avais su, je ne serais pas venu.
L'avion aurait perdu un réacteur.

Le premier exemple est celui d'un conditionnel banal. Dans le deuxième, lorsque la phrase est dite dans un bulletin d'information, le conditionnel signifie que la nouvelle n'a pas été confirmée et est donc encore hypothétique. Les journalistes disent d'ailleurs : « C'est une nouvelle à prendre au conditionnel. »

On voit donc qu'il s'agit d'un emploi très particulier et déviant par rapport au sens fondamental du conditionnel, et il y a fort à parier que d'autres langues ne donnent pas cette valeur au conditionnel. En anglais, la deuxième phrase ci-dessus devra être traduite grâce à une construction du type '***is thought, is believed, is reported,*** etc.:

The plane is thought to have lost a reactor.

Les deux significations du conditionnel se distinguent clairement dans ces exemples mais il peut arriver que la nuance de sens qui entraîne une traduction différente soit beaucoup plus ténue et donc difficile à percevoir.

Toutes les traductions du présent français dans les exemples suivants sont différentes :

1 Je **dîne** toujours à huit heures.
2 Je ne peux pas le déranger, il **travaille**.
3 Tu **parles** russe depuis combien de temps ?
4 On sonne : **c'est** certainement le facteur.

Même exercice mais avec l'imparfait.

5 Quand je suis arrivé il **déjeunait**.
6 Je **fumais** beaucoup quand j'étais étudiant.
7 Tous les dimanches, nous **allions** chez ma grand-mère.
8 Lorsque je l'ai rencontré, il **habitait** à Oxford depuis trois ans.

6-8
Il en va de même pour les formes verbales anglaises. Pour la série d'exemples suivants, vous devez trouver une traduction distincte pour chacun des emplois suivants de ***would***.

1 I ***would*** if I could, but I can't.
2 'Actually, I'm opposed to competitive examinations,' she said.
'Yes, you ***would*** be,' he said.
3 I ***would*** often see him with his dog in the evening.
4 'Why?', she wanted to ask, if it ***wouldn't*** have sounded horribly rude.
5 If Harlowe ***would*** stay I'd leave him behind to look after Henry here.

6-9

The French reflexive pronoun is an interesting case in point. You may never have thought of it but it may mean lots of different things. Look at the following translations :

On pourrait se cacher dans la cave.	*We could hide in the cellar.*
Elle adore se regarder dans la glace.	*She loves looking at herself in the mirror.*
Les nouveau modèles se vendent comme des petits pains.	*The new models sell like hot cakes.*
Ils s'écrivirent plusieurs fois.	*They wrote to each other several times.*
Cela ne se fait pas.	*It is not done.*

Each of the following examples corresponds to one (and only one) of the sentences above. Can you find the correct translations ?

1 Prolétaires de tous les pays, unissez-vous.
2 C'est une tragédie qui se lit comme un roman policier.
3 Ils n'osent plus se regarder.
4 Hemingway s'est tué à l'âge de 63 ans.

6-10

The following sentences are ambiguous. They may have at least two meanings and since there's no context it is impossible to decide which one is the good one.
So you must suggest two translations for each of them.

1 Le premier ministre serait arrivé à Dakar.
2 Je ne vous acheterai plus de fromage.
3 Ça ne va pas ?
4 Je louerai l'appartement à ma sœur.
5 Il a dû aller à pied.
6 On voit les fenêtres de la maison.

Solutions 6

6-1

1 « **Il ne faut pas** croire tout ce que tu vois à la télévision, papa. »
2 Les rumeurs ne sont **que** des rumeurs.
3 Elle plongeait comme une **véritable** sirène.
4 Ce thé est affreux. Cela aurait-il à **voir** avec l'eau ?
5 Je ne connais strictement **rien** à l'aérodynamique.
6 Le SIDA : si vous croyez que vous ne risquez rien, vous avez **tout** faux.

6-2

make efforts, make tea, make progress, do sport, make a cake, do research, make a mistake, make a sacrifice, make concessions, do something courageous

study law / read law, play the sax, write an essay, have a dream, play the innocent / act the innocent, travel a long way, go for a walk / take a walk

study / go to university, knit / do some knitting, ski / go skiing, frighten, hurt

1 'I've broken a plate' 'Never mind / It doesn't matter'
2 I have to get up at five, but I don't mind.
3 We've only got one loaf, we'll have to make do with that.
4 It's night.
5 I'm just passing by.

6-3

1 He took over his father's business.
2 That's none of your business.
3 The affair was covered up.
4 It's a matter worth keeping an eye on.

5 I've got what you want (need).
6 He helped me out.
7 I'll take care of it.
8 That's a bargain.
9 We are dealing with a difficult case.
10 He made a fuss about it.

6-4

1 There's been some progress.
 She's made real progress.
2 Marat was audacious, but not brave at all.
 He's a nice boy.
3 Women prefer tall men, don't they?
 Great men are often unbearable in everyday life.

6-5

1 On **prendra le petit déjeuner** dans une demi-heure.
2 L'arrière-cuisine était au moins chaude et confortable, et c'était aussi bien ainsi puisque M. Wilcox **y passait** pratiquement **tout l'hiver**.
3 Tu n'aurais pas dû **trafiquer** cette radio, elle ne fonctionne plus maintenant.
4 Je n'avais pas vu Attwood depuis plus d'une année ; il avait beaucoup **vieilli** depuis notre dernière rencontre.
5 « Arrête de **m'appeler chéri** tout le temps, s'il te plaît. »
6 De l'autre côté de la vitre, il **articule** quelque chose qu'elle ne peut pas entendre.

6-6

1 Je vais au théâtre demain **soir**.
 Il partit de Liverpool à quatre heures, et arriva à Londres dans la **soirée**.
2 Nous fîmes un **feu** avec des bouts de machin, des chiffons, des vieux papiers...
 La police dit que **l'incendie** a été provoqué par une fuite dans la citerne.
3 La Volga est le plus long **fleuve** d'Europe.
 Nous avons décidé d'aller nous baigner dans la **rivière**.

4 We sat down in the ***shade*** of a large oak.
 The ***shadows*** of houses formed fantastic designs.
5 When is your ***birthday***?
 You can't have forgotten our wedding ***anniversary***!
 (N.B. : on trouve quelquefois ***birthday anniversary***)
6 I've always lived in the country among ***sheep***, cows and ***pigs***.
 I no longer eat any ***mutton***, or ***pork***.
 (N.B. : de même les paires ***ox*** / ***beef***, ***calf*** / ***veal*** désignent l'animal vivant ou la viande)
7 Did you ***notice*** the way he walks?
 She ***pointed out*** / ***remarked*** that responsible was not synonymous with guilty.
8 ***Cities*** such as New York and Chicago... now have black mayors.
 He left the country to live in the neighbouring ***town***.

6-7

1 I always have dinner at eight.
2 I can't talk to him now, he's working.
3 How long have you been speaking Russian?
4 The bell rings : that will be the postman.

5 When I arrived he was having lunch.
6 I used to smoke a lot when I was a student.
7 Every Sunday we would visit my grandmother.
8 When I met him, he had been living in Oxford for three years.

6-8

1 Je le ferais si je pouvais, mais je ne peux pas.
2 « En fait je suis contre les concours, dit-elle — Ça ne m'étonne pas de vous, répondit-il. »
3 Je le voyais souvent avec son chien dans la soirée.
4 « Pourquoi ? » aurait-elle demandé, si cela ne lui avait pas semblé affreusement grossier.
5 Si Harlowe acceptait de rester, je le laisserais ici pour s'occuper d'Henry.

6-9

1 Workers of the world, unite.
2 It is a tragedy that reads like a thriller.
3 They don't dare to look at each other any more.
4 Hemingway killed himself at the age of 63.

6-10

1 The PM is reported to have arrived in Dakar./ The PM would have arrived in Dakar.
2 I won't buy you any cheese any more. / I won't buy any cheese from you any more.
3 Is anything the matter? / Are you crazy?
4 I will rent the flat from my sister. / I will let the flat to my sister.
5 He had to walk. / He must have walked.
6 You can see the windows from the house. / You can see the windows of the house.

Version 6

Plan de travail

I Instructions
II Analyse d'erreurs
III Traduction proposée
IV Étude de procédés

Assaulting ignorance

1 Despite spreading its tentacles into every crevice of modern life, science remains a peripheral part of human culture. In 400 years of assaulting ignorance it has had almost no effect on superstition, despite insisting that superstition is a form of ignorance.
5 Religious faith has not declined much, if at all, since science began answering some of its questions; and where it has declined, new superstitions — Freudian, Gaian or homeopathic — have quickly filled the vacuum.

Opinion polls still put scientists high in public esteem and reveal
10 widespread, uncynical support for what they try to achieve. In 1957 88% of Americans told a pollster the world would be better off because of science; two years ago 88% still thought the same. Even so, something has changed since, say, the 1960's. Where there was once uncritical support, now there is more
15 ambivalence.

This stems partly from the debacles represented by DDT, thalidomide, Chernobyl and Challenger, but partly also from the growing alienation of scientists from people. A century ago, a reasonably educated person could open any issue of Nature, the
20 dominant journal of scientific record, and peruse it with interest. Today, a distinguished professor of geology cannot understand more than one word in two of an article on molecular biology — and vice-versa. The layman would be baffled by both...

The Economist, February 16th 1991.

I INSTRUCTIONS

Cet extrait, contrairement aux précédents, est tiré de la presse. Il s'agit d'un texte de réflexion sur un problème de société. Vous devez donc d'abord vous assurer que vous en comprenez la substance, en faisant particulièrement attention aux mots de liaison ainsi qu'au ton subtilement ironique, caractéristique de *The Economist*. Cette ironie est sensible dans les trois adjectifs situés à la fin du premier paragraphe : ***Freudian, Gaian or homeopathic***. Leur traduction demande un effort d'interprétation : quelle est l'intention de l'auteur ?

II ANALYSE D'ERREURS

Voici quelques fautes caractéristiques. Lisez ce qui suit avant de faire votre propre traduction.

1- Despite spreading its tentacles ≠
Malgré la propagation de ses tentacules...

Il est possible d'envisager d'une part la traduction de ***spreading*** par **propagation**, d'autre part celle de ***tentacles*** par **tentacules**, mais il est rigoureusement impossible d'associer ces deux mots dans un même syntagme. Une pieuvre peut étendre ses tentacules, non les propager. L'erreur consiste donc ici à traduire mot après mot, au lieu de prendre le recul nécessaire pour saisir l'ensemble de la proposition. Il faut donc respecter la cohérence de l'image.

2- In 400 years of assaulting ignorance ≠
En 400 d'ignorance flagrante

Cette faute provient d'une mauvaise analyse de la forme en -ING, qui est comprise comme un adjectif (sur le modèle de ***tiring***, ***boring***, ***exciting***...) alors qu'il s'agit ici d'un verbe au gérondif.
La faute est d'autant plus grossière qu'elle aboutit à un non-sens.

3- Opinion polls still put scientists high in public esteem ≠
Les sondages d'opinion placent toujours les scientifiques haut dans l'estime du public.

Cette traduction est compréhensible et ne contredit pas le texte de départ; elle est cependant fort maladroite. Il est indispensable de s'écarter d'avantage de la lettre du texte anglais pour exprimer ce fait dans une langue naturelle.

4- Even so, something has changed ≠
Même si quelque chose a changé

Cette erreur provient de la méconnaissance de la locution adverbiale ***even so***, et d'une erreur de lecture. En effet, il suffit d'apercevoir la virgule qui isole cette locution en tête de phrase pour comprendre qu'elle n'a pas pour fonction d'introduire une subordonnée, mais de faire le lien avec la phrase précédente. De plus, cette interprétation est contradictoire avec la suite de la phrase, qui n'aurait plus de proposition principale.

5- (dans le troisième paragraphe)
debacles **≠ débâcles**
alienation **≠ aliénation**
journal **≠ journal**

Ce sont trois exemples de faux-amis. Le premier n'est que partiel dans la mesure ou la traduction par **débacle** ne doit être considérée que comme une maladresse. Le terme typique qui convient pour parler de Tchernobyl etc. est celui de **catastrophe**.
La seconde traduction constituerait une faute beaucoup plus grave puisqu'elle aboutirait à un non-sens. A partir d'une racine latine commune, le terme 'alienus' qui signifie **autre** ou **égaré**, le français a dérivé la notion de **folie** et l'anglais celle d'**étrangeté** ou ici d'**isolement**.
En anglais le terme de ***journal*** est en concurrence avec celui de ***newspaper***. Il désigne non pas n'importe quel journal, mais un type de publication bien particulier, celui de **revue scientifique**.

III Traduction proposée

A l'assaut de l'ignorance

Bien qu'elle ait pénétré dans *tous les domaines* de la vie moderne, la science reste à la périphérie de la culture. Depuis 400 ans qu'elle *s'attaque à* l'ignorance, elle n'a eu presque aucun effet sur la superstition, bien qu'elle nous répète à loisir que la superstition est une forme d'ignorance. *La foi* n'a pas beaucoup reculé, si tant est qu'elle ait reculé, depuis que la science a commencé de répondre à certaines des questions qu'elle posait. Et là où la

les moindres recoins

pourfend

Les croyances religieuses

religion a perdu du terrain, de nouvelles superstitions, psychanalytiques, philosophico-écologiques ou homéopathiques, n'ont pas tardé à surgir pour combler le vide.

Les sondages montrent que les gens ont toujours beaucoup de respect pour les hommes de science et qu'ils sont nombreux à soutenir sincèrement *l'action des scientifiques*. En 1957, 88% des Américains interrogés pensaient que le monde s'améliorerait grâce à la science ; il y a deux ans le pourcentage était le même. Néanmoins quelque chose a changé, depuis les années 60 environ. Le soutien *inconditionnel* de naguère est aujourd'hui plus *ambigu*.

ce qu'ils entreprenaient

aveugle
mitigé

Cela est dû en partie aux catastrophes qu'ont représenté le DDT, la thalidomide, Tchernobyl et Challenger mais aussi au fossé qui ne cesse de se creuser entre les scientifiques et le *public*. Il y a un siècle quelqu'un de normalement cultivé pouvait ouvrir n'importe quel numéro de *Nature*, la principale revue scientifique, et s'y plonger avec intérêt. *Aujourd'hui*, un éminent professeur de géologie ne comprend pas plus d'un mot sur deux dans un article de biologie moléculaire, et *vice-versa*. Le profane *n'entendrait rien ni à l'un ni à l'autre*.

l'homme de la rue

de nos jours

réciproquement
serait dérouté par l'un comme par l'autre

IV Étude de procédés

1- despite insisting that ... =>
bien qu'elle nous répète à loisir que

Il n'est pas possible de construire **insister** comme le verbe anglais ***insist***, en le faisant suivre d'une conjonctive en **que**. Une première solution consiste donc à ajouter un élément intermédiaire : **insister sur le fait que ...** . Cette solution est maladroite cependant puisqu'elle alourdit la phrase. On a donc recours à une locution *synonyme*.

2- Gaian =>
philosophico-écologiques

Cet adjectif, formé à partir de Gaïa, nom de la terre dans la mythologie grecque, désigne un ensemble vague de croyances plus ou moins sectaires et teintées de scientisme. La traduction littérale n'évoquerait pas grand-chose pour un lecteur francophone. Il faut donc *transposer, expliciter*. L'intérêt de cet adjectif double, à connotation péjorative, est de montrer le peu de considération qu'éprouve l'auteur à leur endroit.

3-- widespread, uncynical support... =>
les gens sont nombreux à soutenir sincèrement

Cette traduction présente plusieurs exemples de *conversion*. D'une part ***support***, utilisé ici comme nom, est traduit par le verbe correspondant. Par voie de conséquence, l'adjectif ***uncynical*** est traduit par un adverbe.

4- uncritical support =>
Le soutien aveugle

C'est un exemple de traduction par un *contraire avec suppression de la négation* contenue dans le préfixe ***un-***. On a procédé de la même façon plus haut pour rendre ***uncynical support*** par **soutenir sincèrement**.

5- the growing alienation =>
le fossé qui ne cesse de se creuser

Il serait maladroit de parler d'un **éloignement croissant** entre les scientifiques et le public. *L'image* qui convient ici est celle d'un **fossé** qui sépare les uns des autres. Pour l'introduire, on peut alors transformer l'adjectif ***growing***, qui est en fait un verbe adjectivé, en verbe, et remplacer la traduction littérale de ***grow*** par le verbe qui est typiquement associé au nom **fossé**.

Thème 6

Plan de travail

I Instructions
II Traductions proposées
III Étude de procédés
IV Comparaison de variantes

Les vieux démons du populisme

1 La représentation politique serait-elle la proie des vieux démons du populisme ? Avec l'arrivée à Matignon de Mme Edith Cresson et de son « parler-cru », selon l'expression de M. François Mitterrand, le populisme est redevenu en France le terme à la
5 mode pour désigner les discours utilisés par certains hommes politiques de droite comme de gauche.

Compte tenu de la diversité des réalités historiques et des expériences politiques regroupées sous l'étiquette « populiste », à l'Est, mais aussi à l'Ouest, il s'agit d'un phénomène qui ne se
10 laisse pas facilement saisir. « À la différence des autres termes en "isme", c'est surtout une injure utilisée pour stigmatiser l'adversaire », avertit Mme Annie Collovald, chercheur en science politique, spécialiste du mouvement de M. Pierre Poujade, qui rappelle que le terme « poujadisme » avait été inventé par des
15 proches de Pierre Mendès France pour décrédibiliser le papetier de Saint-Céré.

Le populisme peut être, pêle-mêle, la défense des « petits » contre les « gros » ; la condamnation, par un chef charismatique, d'un système politique accusé d'être monopolisé par les partis de
20 l'« établissement », comme dit M. Jean-Marie Le Pen [...], et le rejet des intermédiaires classiques (élus, administration) au profit d'une démocratie directe. Le populisme peut aussi s'appuyer sur l'affirmation identitaire, voire raciste.

« La représentation politique », G. Paris et V. Schneider,
Le Monde, 8-9 septembre 1991.

I INSTRUCTIONS

Ce passage est le début d'un article sur le terme de "populisme" tel qu'il est employé aujourd'hui. Les problèmes spécifiques qu'il pose au traducteur sont d'abord ceux d'un vocabulaire technique, en l'occurence celui de la politique. Notez en particulier les groupes nominaux comportant l'adjectif **politique** : **représentation politique, homme politique, expérience politique, science politique, système politique** dont la traduction n'est pas nécessairement un groupe nominal composé de la même façon.

Les traits stylistiques propres au journalisme qui apparaissent ici sont :

- les néologismes comme **décrédibiliser, l'affirmation identitaire** qui doivent être analysés pour être traduits.

- l'usage déviant des temps : le conditionnel dans la première phrase (**seraitelle**) ou le plus-que-parfait de **avait été inventé** à la fin du second paragraphe. Les mêmes temps ne peuvent être employés en anglais dans ce contexte.

- l'importance de tournures figées et des mots de liaison tels que **selon l'expression de, compte tenu de, à la différence de, voire**. Ces locutions reviennent souvent dans le discours des journalistes et méritent donc d'être retenues en priorité.

- l'emploi fréquent de guillemets soit pour indiquer que le terme est une citation d'un individu en particulier (« **parler-cru** » **selon l'expression de…, l'**« **establishment** » **comme dit…**) ou typique d'un discours propre à un ensemble d'hommes politiques (« **petits** », « **gros** ») soit parce que la phrase qui le contient parle du mot lui-même et non de la réalité à laquelle il renvoie (**le terme** « **poujadisme** » **avait été inventé…**)

II TRADUCTIONS PROPOSÉES

Deux traductions sont proposées ci-après. La première est minimaliste : elle s'écarte aussi peu que possible de la lettre du texte français. La seconde présente beaucoup plus de divergences avec le français. Lisez les deux traductions simultanément et soulignez les différences entre les deux textes.

The old ghosts of populism

Are our political representatives falling prey to the old ghosts of populism? When Mme Edith Cresson arrived at Matignon with her blunt way of speaking, to use M. François Mitterrand's expression, populism once again became the fashionable term to refer to the discourse of some politicians from the right and from the left.

Considering the diversity of historical realities and political experiences in the East as well as in the West that have been put together under the label "populist", the phenomenon is hard to define. "It is different from other '-isms' because it is above all an insult used to denounce the adversary", warns Mme Annie Collovald, a researcher in political science and a specialist of M. Pierre Poujade's movement. She reminds us that the term "poujadisme" was invented by some of M. Pierre Mendès France's advisers to discredit the stationer from Saint-Céré.

Populism can be all sorts of things: the defence of "common people" against "the privileged classes"; the condemnation by a charismatic leader of a political system accused of being monopolized by the parties of the "establishment", as M. Jean-Marie Le Pen says [...]; and the rejection of classical intermediaries (elected representatives, government) in favour of direct democracy. Populism may also rest on the affirmation of national identity that can go as far as racism.

Are French politicians the victims of the old ghosts of populism? When Mme Edith Cresson, "blunt-speak" and all— as M. François Mitterrand put it— became Prime Minister, populism came back into fashion to describe the discourse of certain politicians, be they right-wing or left-wing.

Given the many different historical events and political movements both in the East and in the West that have been labelled "populist" , it is difficult to define what the term actually means. "Unlike other '-isms' it is mostly an insult people hurl at their opponents," warns Mme Annie Collovald, a political expert who researched into the movement founded by M. Pierre Poujade. As she points out, the term "poujadisme" was coined by some of M. Pierre Mendès France's advisers to discredit the stationer from Saint-Céré.

Populism can be all things to all men: the defence of the "underdog" against the "powerful", the indictment by a charismatic leader of a political system that is accused of having been taken over by the parties of the "establishment", as M. Jean-Marie Le Pen says [...]; and the rejection of the traditional echelons of power (elected and appointed officials) in favour of direct democracy. Populism may also be based on the assertion of a national, or even racist, identity.

III ÉTUDE DE PROCÉDÉS DE TRADUCTIONS

1- Mme Edith Cresson =>
Mme Edith Cresson

L'abréviation **Mme** a bien sûr une traduction en anglais et il n'aurait pas été impossible d'écrire ici **Mrs Edith Cresson**, de même que l'on aurait pu traduire **M. François Mitterrand** par **Mr François Mitterrand**. Cependant, contrairement au français, l'anglais peut conserver les désignations étrangères et c'est la solution que l'on adopte en général lorsque le thème du texte est étroitement lié au contexte social, culturel du pays en question, comme c'est le cas ici.
De façon analogue, tandis que le terme « populisme» est parfaitement traduisible, celui de « poujadisme » ne l'est pas du tout, parce qu'il renvoie à un phénomène politique exclusivement français. Il serait dont fallacieux d'acclimater le mot en anglais en supprimant le **e** final. Par contre si votre traduction devait être publiée dans un journal anglais, il faudrait ajouter une note précisant ce qu'a été le poujadisme.

2- Avec l'arrivée à Matignon de Mme Edith Cresson =>
When Mme Edith Cresson arrived at Matignon / When Mme Edith Cresson ... became Prime Minister

Il est fréquent dans la presse de dire **la Maison blanche** pour parler du Président des Etats-Unis, **le palais du Luxembourg** pour le Sénat en France, ou en anglais ***Whitehall*** pour désigner les services centraux de l'administration britannique. Il s'agit de métonymies puisque l'on désigne des institutions ou les personnes qui les représentent par le batîment qui leur est associé.
Ici **l'arrivée à Matignon** signifie donc la nomination au poste de premier ministre. La traduction proposée dans le second corrigé est indispensable si le lecteur non-francophone de la traduction risque de ne pas connaître **Matignon**. De la même façon en version il faudrait transposer ***Whitehall***, parce que très peu de Français connaissent ce nom, tandis qu'il est souvent possible de conserver ***Buckingham Palace*** ou ***10, Downing Street***, connus d'une majorité de francophones.

3- ..., qui rappelle que... =>
... . She reminds us that... / As she points out,...

Il est préfèrable de couper la phrase en deux. Elle est longue et sa structure complexe peut faire obstacle à la compréhension. En particulier un lecteur peu attentif pourrait croire que l'antécédent du pronom relatif est M. Poujade et non Mme Collovald.

Un même souci de clarification explique l'usage des deux points dans la première phrase du troisième paragraphe, avant l'énumération des différentes acceptions possibles du terme de « populisme ».

> *Populism can be all things to all men: the defence of...*

Notez de plus la nécessité d'ajouter le complément ***us*** au verbe ***remind*** dans la première traduction.

4- la défense des « petits » contre les « gros » =>
the defence of the "common people" against "the privileged classes" / the defence of the "underdog" against the "powerful"

Les guillemets indiquent que ces expressions sont typiques du discours des politiciens « populistes ». Les adjectifs nominalisés n'ont donc pas ici leur signification la plus courante, mais doivent être interprétés. Les **petits** doit s'entendre comme les **petites gens** et **gros** a ici la même signification métaphorique que dans **un gros industriel**.
Les traductions doivent évoquer les connotations prises par ces termes dans le discours politique en question : vulnérabilité et impuissance des gens ordinaires face aux puissants de ce monde.
Notez que l'adjectif nominalisé **proches** dans la phrase précédente doit aussi être interprété puisqu'il désigne, en règle générale, des amis ou des connaissances proches alors qu'il a dans ce contexte le sens de **proches collaborateurs**, ce que rend l'anglais ***advisers***.

5- l'affirmation identitaire, voire raciste =>
the affirmation of a national identity that can go as far as racism / the assertion of a national, or even racist, identity

La longueur des deux traductions proposées s'explique par la nécessité d'expliciter ce néologisme journalistique. Il faut donc lire entre les mots et comprendre d'après ce qui est dit dans l'article ou plus sûrement d'après ce que l'on connaît du problème, que l'affirmation identitaire est nécessairement l'affirmation d'une identité nationale. Il ne serait d'ailleurs pas absurde, quoique un peu réducteur de traduire la phrase par :

> *Populism may also rest on nationalism, or even on racism.*

Pensez à un autre néologisme souvent associé à celui-ci : **le discours sécuritaire** qui désigne les propos sur le déclin de la sécurité, en particulier dans les banlieues.

IV Comparaison de variantes

Comme vous avez pu le constater, les différences entre les deux traductions proposées sont très nombreuses. On ne signalera donc ici que les variantes qui concernent la syntaxe.

1- with her blunt way of speaking / "blunt-speak" and all

La seconde traduction est plus idiomatique.

2- a researcher in political science and a specialist of the .../ a political expert who researched into the ...

On peut lier les deux appositions par le moyen d'une relative.

3- It is different from other '-isms' since it is above all insult / Unlike other '-isms' it is mostly an insult

La première traduction est une solution possible pour l'étudiant qui ne connaîtrait pas la traduction de **à la différence de**.

4- M. Pierre Poujade's movement / the movement founded by M. Pierre Poujade

La deuxième traduction est plus explicite puisqu'elle précise que le mouvement a été fondé par M. Poujade.

5- She reminds us that the term .../ As she points out, the term ...

On a remarqué plus haut qu'il était nécessaire de couper la phrase française pour des raisons de clarté.

Version et thème 6

The siege of Downing Street

1 The siege of Downing Street has lasted nearly a year, and shows no signs of ending. Inside that ordinary-looking house at No 10, the ordinary-looking man who believes he is the British Prime Minister and has a mission to rule the country, still holds out
5 against all shows of force, all blandishments, all threats and all appeals to reason.
It is difficult to know exactly what is going on inside there, as the house is guarded closely by police who vet all comings and goings, but it is known that the man is not alone. "John", as he
10 likes to be known, is surrounded by a group of fanatical "advisers" who have backed him in every statement and every refusal to give in. Indeed, there seems to be some sort of internal link with the house next door, No 11, where a man known only as "Norman" appears occasionally at an upstairs window, shouts:
15 "Everything is coming up roses!" cackles maniacally and vanishes again.
"It's a classic picture of siege mentality," says Dr Zeb Rugge, a psychologist who specialises in these situations. " 'John' has convinced himself that he has a divine right to rule the country,
20 and once that is in his head, everything else, no matter how crazy to us, seems to follow logically to him."

The Independent, Thursday March 25 1993.

L'emploi aux Etats-Unis

1 Les émeutes de Los Angeles au printemps ont révélé l'ampleur de la crise que connaissent les centres dégradés de nombreuses grandes villes américaines. Ces quartiers ont en effet subi la disparition, en vingt ans, de plusieurs millions d'emplois, déplacés
5 vers les banlieues des mêmes villes ou vers d'autres régions des Etats-Unis. La polarisation entre gagnants et « laissés-pour-compte » de cette relocalisation s'est trouvée aggravée par les défaillances des mécanismes de solidarité.
Le 24 février dernier, les habitants d'Ypsilanti (Michigan) ont
10 connu une cruelle déception : General Motors venait d'y annoncer la fermeture de son usine automobile, entraînant la perte de plus de 4 000 emplois. L'entreprise préférait conserver le site d'Arlington (Texas), pourtant moins moderne, mais où les ouvriers venaient d'accepter le travail en « trois équipes ».
15 Quelques mois plus tôt, International Papers avait achevé le transfert de son siège social (1 200 emplois) de New York vers le Tennessee.
Ces deux épisodes sont révélateurs du basculement qui s'est produit, au cours des vingt dernières années, au détriment des
20 régions du « rust belt » (« la ceinture de rouille » : Grands Lacs et Nord-Est) et au bénéfice du « sun belt » (la « ceinture de soleil » : sud et ouest du pays). Les trente et un Etats « ensoleillés » représentaient, en 1989, 53,6 % de l'emploi aux Etats-Unis contre 51,5 % en 1980. De 1970 à 1986, leur part dans le PIB améri-
25 cain a progressé de 8 points, passant de 45,7 % à 53,7 % avec une croissance particulièrement marquée pour la Californie, le Texas et les Etats côtiers du Sud atlantique. Selon Robert Crandall, économiste à la Brookings Institution, ce phénomène s'explique à la fois par des différences de coûts salariaux, par la plus grande
30 docilité de la main d'œuvre et par des conditions de vie plus attractives.

Fabrice Hatem, *Le Monde,* 10 novembre 1992.

Propositions de traduction 

Le siège de Downing Street

1 Le siège de Downing Street dure depuis presque un an, et rien n'indique qu'il va prendre fin. A l'intérieur de cette maison d'apparence banale située au numéro 10, l'homme d'apparence banale qui croit être le premier ministre britannique et avoir pour mission de
5 diriger le pays, résiste toujours, malgré toutes les démonstrations de force, toutes les flatteries, toutes les menaces et tous les appels à la raison.

Il est difficile de savoir exactement ce qui s'y passe, parce que la maison est sous la protection vigilante de policiers qui contrôlent
10 toutes les allées et venues, mais on sait que l'homme n'est pas seul. « John » comme il aime à se faire appeler, est entouré d'un groupe de « conseillers » fanatiques qui soutiennent chacune de ses déclarations et chacun de ses refus de céder. En fait il semblerait que le numéro 10 communique avec la maison voisine au numéro 11, où un homme
15 connu seulement sous le nom de « Norman » apparaît de temps à autre à une fenêtre du premier et crie : « Tout marche comme sur des roulettes », glousse comme un dément et puis disparaît.

« C'est une illustration classique de la mentalité de siège, déclare le docteur Zeb Rugge, psychologue spécialiste de ce type de problème.
20 "John" s'est persuadé qu'il gouverne de droit divin, et maintenant qu'il s'est mis cela dans la tête, tout le reste, aussi loufoque que cela nous paraisse, semble en découler logiquement à ses yeux." »

Employment in the US

1 The Los Angeles riots last spring highlighted the extent of the crisis facing the run-down inner-city areas of a large number of American cities. Over the past twenty years several million jobs have been moved from those areas to the suburbs of the same cities or to other
5 regions of the U.S.. The gap between winners and victims in the relocalization has been widened by the shortcomings of the social security system.

On Feb. 24, the people of Ypsilanti, Michigan, suffered a cruel disappointment when General Motors announced the shutdown of its
10 car-plant, causing over 4000 redundancies. The company had chosen to keep its production unit at Arlington, Texas, even though it is less modern, because the workers had just accepted the three-shift working day. A few months earlier, International Papers had completed the transfer of its head office (1200 jobs) from New York
15 City to Tennessee.

These two examples illustrate the major shift that has been taking place for twenty years at the expense of the rust belt (the Great Lakes and the North-East) and in favour of the sun belt (the South and West of the country). In 1989 the thirty-one "sunny" states accounted
20 for 53.6% of jobs, as against 51.5% in 1980. Between 1970 and 1986 their share of the GDP went up by 8 points, from 45.7% to 53.7%, with a notable increase in California, Texas and the states of the Atlantic seaboard. According to Robert Crandell, an economist at the Brookings Institution, this is due to the combination of discrepan-
25 cies in wage costs, the greater pliability of the workforce and more attractive living-conditions.

CHAPITRE 7

L'ellipse

7
L'ellipse

Exercices 7

Les problèmes regroupés ici sous le terme général d'ellipse concernent tous des suppressions, ou inversement des ajouts, opérés par le traducteur. Ajouts et suppressions sont dûs aux possibilités dont dispose chaque langue de sous-entendre tel ou tel élément : il arrive qu'un élément qui peut être sous-entendu en l'anglais ne puisse pas l'être en français, ou inversement.

7-1

Le problème posé par les phrases suivantes tient à l'usage particulier de l'auxiliaire en anglais. Il permet en effet de reprendre un verbe ou quelquefois toute une proposition. Le français ne permet pas une telle économie d'expression et il faut donc développer cet auxiliaire quand on traduit de l'anglais vers le français. Par exemple il faudra traduire :

'Don't tell me.' 'I won't.'

par

« Ne me dis rien. — Je ne te dirai rien. »

Trouvez une formulation adéquate pour développer l'auxiliaire dans les phrases suivantes :

1 'I don't want to leave here. ' '***Don't*** then.'
2 'You know what it is when you're my age.' 'No I ***don't*** but I ***will*** one day.'
3 'You're too clever to say that,' the Vice-Consul snapped. 'And what's more you don't mean it.' 'But I ***do***,' Henry protested.

4 'Have you ever tasted this South African burgundy, Michael? You *haven't*? Well, ***don't.***'
5 'You can tell me or not tell me, as you like, but if you ***do*** tell me I shall certainly let Muriel know what happened.'

7-2

Now conversely: to translate these French sentences into English, make use of auxiliaries and do not translate some of the verbs or adverbs:

1 « Il a appelé ce matin. — Ah oui, vraiment ? »
2 « Arrête de me regarder comme ça, et *s'il te plaît*, arrête de faire ce bruit. »
3 « Reviens avant huit heures… Tu reviendras, n'est-ce pas ? »
4 « Mais tu t'imagines des choses. — Je te jure que non. »

7-3

The problem with the following French adjectives is that they are used as nouns. In English two translations are possible for **les sourds**: you can either say ***the deaf*** or ***deaf people***. Give the two possible translations for these French expressions:

- les riches
- les Suisses
- les aveugles

However, **un sourd** can only be translated as ***a deaf man*** (or perhaps ***a deaf soldier***, ***a deaf musician*** … depending on the context). The translations of the following sentences all need the introduction of such a noun.

1 Les trois **aveugles** s'en étaient allées.
2 La **rouquine** le dévisagea.
3 Il y a eu un **imprévu** : on ne part plus.
4 Il y avait une belle **Américaine** dans le garage.
5 La **première** a lieu le 4 au théâtre Mogador.
6 Les **élus** du département sont en séance.
7 **L'important** dans la vie ce n'est point le triomphe mais le combat.
8 Il n'y a pas eu de **nouveau** depuis ton départ.
9 Les **Soviétiques** ont l'habitude de faire la queue.

7-4

Soit l'exemple suivant :

> *The house has four toilets, a cause of concern to Vic's father. FOUR toilets? he said*, when first shown over the house.

Une partie de la propostion soulignée a été sous-entendue. L'auteur aurait pu écrire : ***when he was first shown over the house***. Or ce type de construction est possible en anglais mais ne l'est pas en français. Il faut donc reconstruire les éléments omis en anglais pour traduire l'ensemble de la phrase :

> La maison a quatre toilettes, un sujet d'inquiétude pour le père de Vic. QUATRE toilettes ? dit-il lorsqu'on lui fit visiter la maison la première fois.

Vous noterez que cet exemple comporte un autre cas d'ellipse puisque ***first*** doit être traduit par **la première fois**.
Appliquez cette technique pour traduire les exemples suivants :

1 She seemed to know exactly where to go without being told.
2 When told that all the tickets had ben sold, they threatened the cashier.
3 These circumstances - which I won't discuss, since it's plain you don't want them discussed...
4 If required to give it a name, she would call her philosophy 'semiotic materialism'.
5 The following morning, Tom, while engaged in cleaning the car, saw several of last night's nomads leave.

7-5
If you look closely at the following example you will realize that one element has been left out in the translation. Which one is it?

> Il ne paraît pas intéressé, mais il l'est.
> *He doesn't seem to be interested but he is.*

The French personal pronoun **l'** must not be translated. In the same way, do not translate the words that have been underlined in the following sentences:

1 Tu devrais le **lui** dire.
2 Qu'est-ce que tu **en** penses ?
3 On **y** va ?
4 J'**en** ai acheté trois.
5 J'étais distrait et je **le** suis toujours.
6 Ne t'**en** fais pas.

7-6
Il est très courant en anglais familier de trouver des questions tronquées, c'est-à-dire dont certains éléments ont été omis, alors que les mêmes omissions ne seront pas possibles en français. Imaginez le contexte dans lequel on pourrait trouver les questions suivantes et traduisez ensuite :

1 'Have another?'
2 'Want some?'
3 'Going somewhere?'
4 'Been here before?'
5 'Like it here?'

7-7

A lot of French pronominal verbs are 'normal' in English, which means that it would be a mistake to use ***oneself*** to translate them. **Se cacher** is simply ***hide***. The same goes for the other verbs in the following examples:

1 Vous vous représentez la scène ?
2 Je me suis toujours demandé pourquoi.
3 Comment est-ce qu'il s'en sort ?
4 Le déficit s'élève à vingt millions de francs.
5 Les syndicats s'insurgèrent contre le plan.

Solutions 7

7-1

1 « Je ne veux pas partir d'ici. — Eh bien, ne pars pas. »
2 « Tu sais ce que c'est, à mon âge. — Non, je ne sais pas mais je saurai un jour. »
3 « Tu es trop intelligent pour dire cela, répliqua le vice-consul. Et de plus tu ne le penses pas. — Mais si, je vous assure », protesta Henry.
4 « Vous n'avez jamais goûté ce bourgogne d'Afrique du Sud, Michael ? Non ? Eh bien n'essayez pas. »
5 « Tu peux me le dire ou non, comme tu veux, mais si tu décides de m'en parler je ne manquerai pas d'informer Muriel de ce qui s'est passé. »

7-2

1 'He called this morning.' 'Did he?'
2 'Stop looking at me like this, and please, do stop making that noise.'
3 "Come back before eight… You will, won't you?'
4 'But you're imagining things.' 'I swear to you I'm not.'

7-3

1 the rich / rich people
2 the Swiss / Swiss people
3 the blind / blind people

1 The three blind ***women*** had gone away.
2 The red-haired ***woman*** / ***girl*** stared at him.
3 ***Something*** unexpected happened: we're not going any more.
4 There was a beautiful American ***car*** / ***woman*** in the garage.
5 The first ***night*** was on the fourth at the "Théâtre Mogador".
6 The elected ***representatives*** of the 'département' are in session.
7 The important ***thing*** in life is not winning but fighting.
8 ***Nothing*** new has happened since you left.
9 Soviet ***people*** / ***citizens*** are used to queueing.

7-4
1 Elle semblait savoir exactement où aller sans qu'on le lui dise.
2 Lorsqu'on leur dit que tous les billets avaient été vendus ils menacèrent le caissier.
3 Ces circonstances - dont je ne parlerai pas puisqu'il est clair que tu ne veux pas qu'on en parle.
4 Si on lui demandait de donner un nom à sa philosphie, elle la décrirait comme un « matérialisme sémiotique ».
5 Le lendemain matin, alors qu'il était occupé à nettoyer la voiture, Tom vit plusieurs des nomades de la veille partir.

7-5
1 You should tell him.
2 What do you think?
3 Shall we go?
4 I've bought three.
5 I was absent-minded and I still am.
6 Don't worry.

7-6
1 « Tu reprends un verre ? »
2 « Tu en veux ? »
3 « Tu vas quelque part ? »
4 « Vous êtes déjà venu ici ? »
5 « Ça vous plaît, ici ? »

7-7
1 Can you imagine the scene?
2 I've always wondered why.
3 How is he coping?
4 The deficit amounts to / stands at twenty million francs.
5 The unions rebelled / rose against the plan.

Version 7

Plan de travail

I Instructions
II Analyse d'erreurs
III Traduction proposée
IV Étude de procédés de traduction

Academic animosity

Tom, a history teacher, has just learnt from his headmaster, Lewis, that he will have to go.

1 "Early retirement, Tom. On full pension. Half the staff would jump at it."
"And the closure of my department?"
"Not closure. Don't be ridiculous. I'm not dropping History. It's an unavoidable reduction. There'll be no new Head of History.
5 History will merge with General Studies. "
"Amounts to pretty well the same thing."
"Tom, let's be clear about this. This isn't my personal decision. I don't, it's true, have a taste for your subject. I've never disguised my views. You don't care for physics. Nor, so you've made clear,
10 for headmastership. We've been sparring partners for years—" (a weak smile) " — it's been the basis of our friendship. A little healthy academic animosity. But there's no question here of a vendetta. You know how the cuts are biting. And you know the kind of pressure I'm under— 'practical relevance to today's real world'—
15 that's what they're demanding. And, dammit, you can't deny there's been a steady decline in the number of pupils opting for History."
"But what about now, Lew? What about in the last few weeks? You know as well as I do there've been no less than six requests by students doing other subjects to transfer to my 'A' level group.
20 I must have some attraction."
"If you call a complete departure from the syllabus 'attraction', if you call turning your classes into these — circus-acts— 'attraction'."
He snorts and starts to lose patience.
"I gave you my advice, Tom — my sympathetic advice. I said
25 take a rest, a period of leave..."

Graham Swift, *Waterland*, 1983, Heinemann Ldt.

I INSTRUCTIONS

La majorité des problèmes de compréhension posés par ce texte sont d'ordre culturel : ils tiennent aux particularités du système scolaire anglais.

Un certain nombre de termes concernant ce domaine ont des traductions simples puisque les mêmes notions existent dans le système français ; il s'agit par exemple de ***subject, headmastership, pupil, syllabus***. D'autres n'en ont pas : ***department, Head of History, General Studies***, ou encore ***'A' level group***. Il faut donc trouver des équivalents.
L'organisation des établissements secondaires en Grande-Bretagne s'apparente par certains côtés à celle des universités, et c'est pourquoi on peut être tenté d'employer des termes comme **maître de conférences, chaire** etc. alors qu'ils sont strictement réservés à l'enseignement universitaire en France.

De plus, le texte fait apparaître le contexte social de crise typique de la période à laquelle la scène se passe et a été écrite — Mme Thatcher est arrivée au pouvoir en 1979. Ainsi ***early retirement, unavoidable reduction, cuts, 'practical relevance to today's real world'.***

Ces difficultés montrent que traduire un texte, c'est aussi souvent transposer tout un contexte socio-culturel, et non seulement des mots.

II ANALYSE D'ERREURS

1- on full pension ≠
en pension complète.

L'expression **en pension complète** existe bien en français mais s'emploie pour qualifier un séjour à l'hôtel ou dans une pension de famille, et non pour une retraite. C'est la ressemblance de l'anglais ***on*** avec le français **en** qui suggère cette traduction erronée. Il aurait suffi de remplacer **en** par **avec** pour obtenir une traduction acceptable.

2 - This isn't my personal decision. ≠
Ce n'est pas ma décision personnelle.

Cette expression se comprend mais est maladroite : ce n'est pas ce que dira spontanément un francophone. Là encore une modification mineure — la transformation de **ma** en **une**— suffit à rendre l'ensemble de l'expression plus acceptable. On peut cependant préférer une reformulation telle que celle qui est proposée et qui met en valeur l'élément significatif de l'élément en le thématisant :

Ce n'est pas moi qui ai pris cette décision.

3- We've been sparring partners for years. ≠
Nous sommes collègues depuis des années.

Ici l'omission d'un mot, ***sparring***, aboutit quasiment à un contre-sens. Littéralement,

a sparring partner is a person who a boxer fights with regularly

et donc métaphoriquement,

a person with whom you regularly have good-humoured arguments
(définitions extraites de COBUILD)

Traduire ***sparring partners*** par **collègues** revient donc à omettre l'élément significatif du nom composé, ***sparring***, qui rappelle d'autres expressions du contexte :

I don't have a taste for your subject ...
You don't care for physics... academic animosity... vendetta.

En l'absence d'une expression équivalente à ***sparring partner***, on peut donc proposer :

Nous nous disputons / nous nous chamaillons depuis des années

ou encore

Entre nous, c'est la petite guerre depuis des années

4- I must have some attraction ≠
Je dois avoir de l'attirance.

L'étudiant qui a proposé cette traduction a senti qu'une traduction littérale ne conviendrait pas mais sa recherche du mot juste n'a pas abouti puisque cette traduction est un contre-sens. En effet, **avoir de l'attirance** c'est être attiré par quelque chose, et non attirer.
Ainsi dans la famille de mots : **attrait, attirance, attraction** aucun ne se prête à une traduction convenable. Il faut donc s'autoriser une modification plus radicale de la forme de l'énoncé anglais, comme une conversion de nom à verbe :

Je dois bien avoir quelque chose qui les attire.

5- I said take a rest, a period of leave ≠
Je t'ai dit de te reposer, de prendre congé.

L'oubli de l'article devant **congé** modifie complètement le sens du syntagme. **Prendre congé**, c'est :

> saluer les personnes à qui l'on doit du respect avant de les quitter (définition du Petit Robert).

Prendre un congé, par contre, c'est partir en vacances.

La différence de détermination entraîne des interprétations différentes du nom déterminé en anglais aussi. Que l'on pense par exemple à l'opposition classique entre :

> *go to the school / go to school*

où le second est très souvent équivalent de ***be a pupil*** ou ***be a student.***

III Traduction proposée

Rivalité entre disciplines

1 « Retraite anticipée, Tom. Avec l'intégralité de ta pension. La moitié des professeurs sauteraient sur l'occasion.
- Et la fermeture de mon département ?
- Ce n'est pas une fermeture. Ne sois pas ridicule. Je ne laisse pas tom-
5 ber l'histoire. Cette compression est incontournable. Personne ne te remplacera à la tête du département d'histoire. L'histoire sera intégrée au département de culture générale.
- Ce qui revient pratiquement au même.
- Soyons clair, Tom. Ce n'est pas moi qui ai pris cette décision. Je re-
10 connais que je n'ai pas d'attirance particulière pour ta discipline. Je n'ai jamais caché mon opinion. Et toi, la physique ne t'intéresse pas. Un poste de proviseur non plus, d'après ce que tu m'as fait comprendre. Entre nous, c'est la petite guerre depuis des années (il a un pâle sourire). Ça ne fait pas de mal, un peu de rivalité entre disciplines.
15 Mais cela n'a rien à voir avec une vendetta. Tu sais qu'ils suppriment à tour de bras. Et tu connais le genre de pression que je subis : "des

connaissances applicables aux réalités du monde d'aujourd'hui", voilà ce qu'ils exigent. Et bon sang, tu ne peux pas nier que le nombre d'élèves qui choisissent l'histoire ne cesse de baisser.

20 - Et maintenant, Lew ? Et ces dernières semaines ? Tu sais aussi bien que moi qu'il y a eu six élèves d'autres groupes, six, qui ont demandé à être transférés dans ma classe de terminale. Il faut croire que j'ai quelque chose qui les attire.

25 - Si ce que tu appelles "attirer", c'est ne tenir aucun compte du programme, si tu les 'attires' en faisant de tes cours des ... numéros de cirque.

Il piaffe et commence à perdre patience.

- Je t'ai donné un conseil, Tom, un conseil d'ami. Je t'ai dit de te
30 reposer, de prendre un congé... »

IV ÉTUDE DE PROCÉDÉS DE TRADUCTION

1- There'll be no new Head of History. =>
Personne ne te remplacera à la tête du département d'histoire.

Cette traduction est suggérée par la difficulté de trouver un équivalent à ***Head***, étant donné que l'institution correspondante n'existe pas dans le système scolaire français. L'expression française **être à la tête de** est le plus proche équivalent du sens figuré de ***Head***.
Le choix de cette expression incite à une modification de la structure de la phrase, personnelle en français, alors que la phrase anglaise emploie une tournure impersonnelle.

2- You don't care for physics. =>
Et toi, la physique ne t'intéresse pas.

Le traducteur emploie cette construction, impossible en anglais, afin de faire ressortir le contraste entre cette phrase et

I don't, it's true, care for your subject

qui précède. Le pronom ***You*** doit être accentué en anglais, mais rien ne l'indique dans le texte écrit.
Ceci montre la nécessité d'entendre le dialogue afin d'en percevoir le ton, pour le comprendre.

3- there's been a steady decline in the number of pupils opting for History =>
le nombre d'élèves qui choisissent l'histoire ne cesse de baisser.

D'une part l'ordre des élements qui composent cette proposition est inversé. Il est en effet préférable de convertir le nom ***decline*** en verbe : **baisser**. Il serait logique de convertir en conséquence l'adjectif ***steady*** en adverbe, et l'on peut effectivement traduire par : **le nombre ... baisse régulièrement.** On peut néanmoins choisir comme ici de le convertir en verbe.

4- I must have some attraction =>
Il faut croire que j'ai quelque chose qui les attire

On a vu plus haut le problème posé par la traduction de ***attraction***.
Le choix d'une construction impersonnelle s'explique par la valeur du verbe modal ***must***, qui exprime ici une nécessité logique du type « Il n'y a pas de fumée sans feu.» Si autant d'étudiants ont demandé à passer dans la classe de Tom, c'est nécessairement parce que son cours les intéresse. C'est ce que rend parfaitement l'expression française : **Il faut croire que**..., expression familière qui est du même registre que celui de la conversation transcrite ici.
On peut aussi penser à employer **bien** :

> Il faut bien que j'ai quelque chose...
> Je dois bien avoir quelque chose...

Thème 7

Plan de travail

I Instructions
II Analyse d'erreurs
III Traduction proposée
IV Étude de procédés

L'envahisseur

1 Depuis son entrée en France avec l'armée d'invasion, Walter Schnaffs se jugeait le plus malheureux des hommes. Il était gros, marchait avec peine, soufflait beaucoup et souffrait affreusement des pieds qu'il avait fort plats et fort gras. Il était en outre paci-
5 fique et bienveillant, nullement magnanime ou sanguinaire, père de quatre enfants qu'il adorait et marié avec une jeune femme blonde, dont il regrettait désespérément chaque soir les tendresses, les petits soins et les baisers. Il aimait se lever tard et se coucher tôt, manger lentement de bonnes choses et boire de la
10 bière dans les brasseries. Il songeait en outre que tout ce qui est doux dans l'existence disparaît avec la vie : et il gardait au cœur une haine épouvantable, instinctive et raisonnée en même temps, pour les canons, les fusils, les revolvers et les sabres, mais surtout pour les baïonnettes, se sentant incapable de manœuvrer assez
15 vivement cette arme rapide pour défendre son gros ventre.

Guy de Maupassant, *Contes de la bécasse,*
1979, Garnier-Flammarion.

I Instructions

A la différence des textes précédents, cet extrait est un texte littéraire du dix-neuvième siècle. On remarquera en particulier les nombreuses juxtapositions de propositions séparées par des virgules, l'accumulation d'adjectifs souvent distribués en paires (**plats et gras, pacifique et bienveillant**...), qui crée un effet de balancement tranquille et illustre le tempérament placide du personnage.

Le ton de la description est ironique, mais cette ironie est bienveillante : l'auteur se moque gentiment de l'inadaptation du "héros" au rôle de soldat qu'il doit jouer.
La traduction doit donc rendre cette ironie et aussi respecter l'écriture propre au siècle dernier : en anglais cette écriture se caractérise entre autres par la préférence donnée aux termes d'origine latine — donc ressemblant au français— sur ceux d'origine germanique. Il existe par exemple deux traductions de **sanguinaire** => ***bloodthirsty, sanguinary***. Alors que le second devra être rejeté pour une traduction en anglais contemporain, il pourra très bien convenir ici.

II Analyse d'erreurs

1- ...des pieds, qu'il avait fort plats et fort gras. ≠
his very flat and fat feet

Il est quelquefois possible de réduire une proposition relative en antéposant les adjectifs. Cette solution constituerait cependant une erreur ici dans la mesure où c'est la répétition (**fort plats et fort gras**) qui manifeste l'ironie du narrateur vis-à-vis du personnage.
Il ne faut pas non plus traduire **fort** par ***very***, trop banal.

2- quatre enfants qu'il adorait ≠
four children he was fond of

L'adjectif ***fond*** est plus proche du verbe ***like*** que de ***love***. Ce terme n'est donc pas assez fort pour rendre le français **adorer**.

3- une jeune femme blonde ≠
a blonde young woman

C'est l'ordre des adjectifs qui pose problème ici. En règle générale on place le plus près du nom l'adjectif qui dénote la qualité la plus intrinsèque au référent du nom — comme c'est le cas de **blonde** ici. Madame Schnaffs sera toujours blonde, mais ne restera pas toujours jeune.
A l'inverse, les adjectifs dénotant des jugements de valeur, subjectifs seront le plus éloignés du nom. On dira donc ***a silly old woman*** parce que des deux adjectifs ***silly*** est le moins « objectif ».
Cette règle n'est pas toujours respectée cependant. Si pour traduire **blonde**, on avait choisi ***fair-haired***, on le placerait de préférence avant ***young*** : ***a fair-haired young woman***.

4- il gardait au cœur une haine épouvantable ≠
he kept in his heart a terrible hatred

Il ne faut pas garder l'ordre des mots de la proposition française. En règle générale, l'anglais ne sépare pas le verbe de son complément d'objet. Il faut donc rejeter tous les autres compléments au début ou à la fin de phrase.

III Traduction proposée

The invader

Since *his entry into France* with the invading army, Walter Schnaffs had deemed himself the most unfortunate of men. He was fat, *had difficulty in walking*, panted a lot, and his feet, which were *exceedingly* flat and exceedingly *plump*, *hurt* terribly. Moreover, he was a *peaceful*, benevolent man, *not in the least* magnanimous or sanguinary, the father to four children whom he adored, and married to a *young blonde woman*, whose tenderness, attentions and kisses he missed atrociously every evening. He liked to rise late and go to bed early, to eat good food slowly and drink beer in *beer-houses*. He considered, moreover, that all the sweet things in life disappear when you die, and *deep down* he nurtured *a terrible hatred, both instinctive and rational*, for cannons, rifles, revolvers and sabres, but above all for bayonets, *since he felt himself* incapable of manoeuvring such a fast weapon swiftly enough to defend his fat belly.

he had entered France
walked with difficulty
decidedly
fleshy... ached
peace-loving
not in the slighest
a fair-haired young woman
brasseries
in his heart
a terrible, instinctive, yet at the same time rational hatred
feeling himself

IV Étude de procédés

1- le plus malheureux des hommes =>
the most unfortunate of men

Cette tournure qui calque littéralement le français convient à ce texte vieux d'un siècle. En anglais contemporain, l'expression équivalente serait plutôt ***the most unfortunate man on earth***. Le texte présente d'autres exemples de choix stylistiques de ce type : outre la préférence donnée à ***sanguinary*** sur ***bloodthirsty*** (quoique ce terme soit également envisageable), notez par exemple ***to*** dans ***the father to four children*** (au lieu de ***the father of four children*** en anglais contemporain) le choix de ***whom*** au lieu de ***that*** ou l'ellipse du pronom relatif dans ***four children whom he adored***, celui de ***rise*** au lieu de ***get up*** dans ***he liked to rise late***.

2- ... et souffrait affreusement des pieds... =>
his feet ... hurt terribly

Le problème posé par cette proposition provient de ce que le français peut faire suivre l'expression **souffrir de** soit du nom d'une maladie, soit de celui de la partie du corps concernée : on peut **souffrir de rhumatismes** ou **de la tête**. Or l'expression équivalent en anglais ***suffer from*** ne peut être suivie que du nom du mal. C'est pourquoi on aura recours ici à une construction complètement différente où le complément **pieds** devient le sujet de la proposition.

3- Il était en outre pacifique et bienveillant =>
Moreover, he was a peaceful, benevolent man

C'est l'ordre des mots qui nous intéresse ici. On remarque en effet que l'adverbe de phrase ***moreover*** n'occupe pas la même place que le français **en outre**. Il n'est pas impossible de l'intercaler entre le sujet et le complément mais il faut alors l'encadrer de virgules qui l'isolent et le mettent en relief.

> He was, moreover, a peaceful and benevolent man...

S'il est placé en tête de phrase, l'adverbe est souvent, mais non obligatoirement, suivi d'une virgule.

4- dont il regrettait... les tendresses =>
whose tenderness ... he missed

Il faut prendre garde à la construction du pronom relatif qui entraîne une modification importante de l'ordre des composants de la proposition.

D'autre part, le verbe ***miss*** se construit différemment de son équivalent français **manquer** puisque l'ordre des termes — sujet, complément d'objet— qu'il exige est inversé.
Tu me manques devient ***I miss you.***
Enfin il faut noter le problème posé par l'opposition entre noms dénombrables et noms non dénombrables. Tandis que **attention** peut être l'un ou l'autre selon les circonstances (cf. ***beauty / a beauty***, ***business / a business*** etc.) ***tenderness*** ne peut être que non dénombrable. Il peut traduire le pluriel français de **tendresses.**

5- tout ce qui est doux dans l'existence disparaît avec la vie =>
all the sweet things in life disappear when you die

Le problème posé par cette phrase tient au mot **existence**, qui désigne ici la vie, tandis que le mot anglais ***existence*** renvoie presque toujours au sens premier du mot, à savoir le fait d'exister :

> *the state of being real, alive, actual, rather than being something that people have imagined or made up*
> (définition COBUILD).

Il faut donc de préférence traduire **existence** par ***life***. Afin d'éviter une répétition on rendra donc **avec la vie** par ***when you die***.

Version et thème 7

Roads like skating-rinks

1 'The drive back was quite horrendous,' said Robyn. 'Swirling snow. Roads like skating-rinks. Abandoned cars strewn all over the place. It took me two and a half hours to get home.'
'God,' said Charles sympathetically.
5 'I felt absolutely exhausted and filthy — my feet were soaking wet, my clothes reeked of that ghastly factory, and my hair was full of soot. All I wanted was to wash my hair and take a long, hot bath. I'd just eased myself into it — oh, what bliss! — when the doorbell rang. Well, I thought, too bad, I'm not going to ans-
10 wer it. I couldn't imagine who it could be, anyway. But the bell went on ringing and ringing. I began to think perhaps it was a real emergency. Anyway, after a while I couldn't stand it any longer, lying there and listening to the bloody bell, so I got out of the bath, dried myself after a fashion, put on a bathrobe, and
15 went downstairs to open the door. Who d'you think it was?'
'Wilcox?'
'How clever of you to guess. He was in a towering rage, pushed his way into the house most rudely, and didn't even bother to wipe his feet. They were covered in snow, and left great wet foot-
20 prints on the hall carpet. When I took him into the living-room he even had the cheek to look round and say to himself, loud enough for me to hear, "What a tip!"'

David Lodge, *Nice Work*, 1988, Secker and Warburg.

Le nœud de vipères

(La femme du narrateur, mère de Geneviève et d'Hubert, vient d'être enterrée.)

1 Geneviève dit :
— Presque tout le monde a suivi jusqu'au cimetière : elle était très aimée.
Je l'interrogeai sur les jours qui avaient précédé l'attaque de
5 paralysie.
— Elle éprouvait des malaises... peut-être même a-t-elle eu des pressentiments; car, à la veille du jour où elle devait se rendre à Bordeaux, elle a passé son temps dans sa chambre, à brûler des tas de lettres; nous avons même cru qu'il y avait un feu de chemi-
10 née...
Je l'interrompis. Une idée m'était venue... Comment n'avais-je pas songé à cela ?
— Geneviève, crois-tu que mon départ ait été pour quelque chose ?
15 Elle me répondit, d'un air de contentement, que « ça lui avait sans doute porté un coup... »
— Mais vous ne lui avez pas dit... vous ne l'avez pas tenue au courant de ce que vous aviez découvert...
Elle interrogea son frère du regard : devait-elle avoir l'air de
20 comprendre ? Je dus faire une étrange figure, à cette minute, car ils semblèrent effrayés; et tandis que Geneviève m'aidait à me redresser, Hubert répondit avec précipitation que sa mère était tombée malade plus de dix jours après mon départ et que, durant cette période, ils avaient décidé de la tenir en dehors de
25 ces tristes débats. Disait-il vrai ? Il ajouta d'une voix chevrotante :
— D'ailleurs, si nous avions cédé à la tentation de lui en parler, nous serions les premiers responsables...

François Mauriac, *Le Nœud de vipères*, 1933, Bernard Grasset.

Propositions de traduction 7

La route était une vraie patinoire

1 - « Le retour a été franchement horrible, dit Robyn, il y a eu une tempête de neige et la route était une vraie patinoire, il y avait des voitures abandonnées partout. Il m'a fallu deux heures et demi pour rentrer.
5 - Mon Dieu !, dit Charles, compatissant.
- J'étais complètement exténuée et je me sentais répugnante. J'avais les pieds trempés, mes vêtements empestaient à cause de cette abominable usine, et mes cheveux étaient pleins de suie. Je n'avais qu'une envie, c'est de me laver les cheveux et de prendre un bon bain
10 bien chaud. J'étais à peine dans la baignoire — l'extase !— qu'on sonne à la porte. Tant pis, je me suis dit, je ne réponds pas. De toute façon, je ne voyais pas du tout qui ça pouvait être. Mais la sonnette n'arrêtait pas. J'ai commencé à me dire qu'il y avait peut-être vraiment urgence. Enfin, au bout d'un moment, c'est devenu insup-
15 portable de rester là avec cette bon sang de sonnette, alors je suis sortie de la baignoire, je me suis séchée comme j'ai pu, j'ai mis un peignoir, et je suis descendue pour ouvrir. Qui tu crois que c'était ?
- Wilcox ?
- Comment as-tu deviné ? Il était fou de rage et il s'est conduit comme
20 un goujat : il s'est engouffré sans même prendre la peine d'essuyer ses pieds qui étaient pleins de neige, et il a fait des grandes traces de pas sur le tapis de l'entrée. Quand je l'ai fait entrer dans le salon il a même eu le culot de jeter un coup d'œil à la ronde et de dire à mi-voix, mais assez haut pour que j'entende : « Quelle pagaïe! »

The nest of vipers

1 Geneviève said:
'Nearly everyone followed the hearse all the way to the cemetery: she was much-loved.'
I questioned her about the days before she had suffered the stroke
5 which paralyzed her.
'She sometimes felt unwell... perhaps she even had forebodings because the day before she was to go to Bordeaux she had spent all her time in her room burning piles of letters — we even thought the chimney was on fire.'
10 I stopped her. Something had occurred to me. How could I not have thought of it?
'Geneviève, do you think my departure might have had something to do with it?'
She answered with an air of satisfaction that "it must have been a
15 blow to her..."
'But didn't you say anything to her... didn't you tell her what you had discovered?'
She looked inquiringly at her brother: should she appear to understand? I must have looked really odd at that moment for they
20 seemed frightened, and while Geneviève was helping me to sit up, Hubert answered precipitately that his mother had fallen ill more than ten days after my departure and that during that time they had decided to keep her out of these wretched arguments. Was he telling the truth? He added quaveringly:
25 'In any case if we had yielded to temptation and told her about it, we would be the first to blame...'

Annexe 1

Le dictionnaire bilingue

L'objectif des pages qui suivent est de vous apprendre à mieux utiliser l'outil principal du traducteur : le dictionnaire, bilingue et monolingue. Pour cela, il faut que vous compreniez comment sont rédigés les articles. Cela vous permettra :

- d'une part, de trouver la traduction que vous cherchez **le plus vite possible**, ce qui est essentiel puisque le temps dont vous disposez est nécessairement limité.

- d'autre part, de trouver **la bonne traduction** parmi toutes celles qui sont proposées, c'est-à-dire celle qui correspond le mieux à l'emploi du mot dans le texte que vous devez traduire.

Les explications qui suivent portent sur les trois aspects principaux de l'article de dictionnaire bilingue: tout d'abord, la structure de l'article, ensuite les indicateurs, enfin les exemples.

I La structure

Voici par exemple l'article concernant la traduction du verbe **représenter** dans le dictionnaire Robert-Collins (Nouvelle édition, 1993). Lisez-le attentivement et dégagez-en la structure.

> **Représenter** [R(ə)PREZATE] 1 **1 vt a** (*décrire*) *[peintre, romancier]* to depict, portray, show; *[photographie]* to represent, show. (*Théât*) **la scène représente une rue** the scene represents a street, **~ fidèlement les faits** to describe *ou* set out the facts faithfully; **on le représente comme un escroc** he's represented as a crook, he's made out to be a crook ; **il a voulu ~ un paysage sous la neige/la société du 19e siècle** he wanted to shox *ou* depict a snowy landscape/to depict *ou* portray 19th-century society.
>
> **b** (*symboliser*) to represent; (*signifier*) to represent, mean. **les parents représentent l'autorité** parents represent *ou* embody authority; **ce trait représente un arbre** this stroke represents a tree; **ça va ~ beaucoup de travail** that will mean *ou* represent *ou* involve a lot of work; **ça représente une part importante des dépenses** it accounts for *ou* represents a larg part of the costs; **ils représentent 12 % de la population** they make up *ou* represent 12% of the population.
>
> **c** (*Théât*) (*jouer*) to perform, play; (*mettre à l'affiche*) to perform, put on, stage; *superproduction, adaptation* to stage. **on va ~ 4 pièces cette année** we (*ou* they *etc*) will perform *ou* put on 4 plays this year; **Hamlet fut représenté pour la première fois en 1603** Hamlet was first performed *ou* acted *ou* staged in 1603.
>
> **d** (*agir au nom*) *ministre, pays* to represent. **il s'est fait ~ par son notaire** he was represented by his lawyer, he sent his lawyer to represent him, he had his lawyer represent him; **les personnes qui ne peuvent pas assister à la réunion doivent se faire ~ (par un tiers)** those who are unable to attend the meeting should send someone to replace them *ou* should send a stand-in *ou* a deputy.
>
> **e ~ une maison de commerce** to represent a firm, be a representative *ou* a traveller for a firm.
>
> **f** (*littér*) **~ qch à qn** to point sth out to sb, (try to) impress sth on sb; **il lui représente les inconvénients de faire l'affaire** he pointed out to him the drawbacks of the matter.
>
> **2 vi** (*frm: en imposer*) **il représente bien** he cuts a fine figure; **le directeur est un petit bonhomme qui ne représente pas** the manager is a little fellow with no presence at all *ou* who cuts a poor *ou* sorry figure.
>
> **3 se représenter vpr a** (*s'imaginer*) to imagine. **je ne pouvais plus me ~ son visage** I could no longer bring his face to mind *ou* recall *ou* visualize his face; **on se le représente bien en Hamlet** you can well imagine him as Hamlet; **représentez-vous cet enfant maintenant seul au monde** just think of that child now alone in the world; **tu te représentes la scène quand il a annoncé sa démission!** you can just imagine the scene when he announced his resignation!
>
> **b** (*survenir à nouveau*) **l'idée se représenta à lui** the idea came back to his mind *ou* occured to him again *ou* crossed his mind again; **si l'occasion se représente** if the occasion presents itself again, if the opportunity arises again; **le même problème va se ~** the same problem will crop

again, we'll be faced *ou* confronted with the same problem again.

c (*se présenter à nouveau*) (*Scol*) to resit (*Brit*), retake; (*Pol*) to stand again (*Brit*), run again (*surtout US*). **se ~ à un examen** to resit (*Brit*) *ou* retake an exam; **se ~ à une élection** to stand (*Brit*) *ou* run for election again, stand (*Brit*) *ou* run for re-election.

Le Robert & Collins senior, nouvelle édition 93.

On doit distinguer trois niveaux de structuration :

a) en fonction du comportement grammatical du verbe, c'est-à-dire selon qu'il est *transitif* (**représenter quelque chose**), *intransitif* (**il représente bien**) ou *pronominal* (**se représenter**) . L'article est ainsi divisé en trois zones désignées par des chiffres 1,2 et 3 suivis de la précision vt, vi et vpr.

b) en fonction des aires de sens, à l'intérieur de chacune de ces zones. Un verbe comme **représenter** est en effet très polysémique, il a beaucoup de sens divers et souvent très différents les uns des autres. Ces aires de sens forment des paragraphes précédés d'une lettre minuscule : (a), (b), (c) etc.

c) en fonction du type de traductions, à l'intérieur de chacun de ces paragraphes : on trouve d'abord des traductions directes, (le verbe **représenter** est traduit seul, par exemple 3(a) ***to imagine***) ensuite des phrases d'exemples suivies de leur traduction.

On peut donc matérialiser la structure de l'article de la façon suivante :

1 Verbe transitif	**Représenter** [R(ə)PREZATE] 1 **1 vt a** (*décrire*) *[peintre, romancier]* to depict, portray, show; *[photographie]* to represent, show. (*Théât*) **la scène représente une rue** the scene represents a street, **~ fidèlement les faits** to describe *ou* set out the facts faithfully; **on le représente comme un escroc** he's represented as a crook, he's made out to be a crook ; **il a voulu ~ un paysage sous la neige/la société du 19e siècle** he wanted to shox *ou* depict a snowy landscape/to depict *ou* portray 19th-century society.	} décrire
	b (*symboliser*) to represent; (*signifier*) to represent, mean. **les parents représentent l'autorité** parents represent *ou* embody authority; **ce trait représente un arbre** this stroke represents a tree; **ça va ~ beaucoup de travail** that will mean *ou* represent *ou* involve a lot of work; **ça représente une part importante des dépenses** it accounts for *ou* represents a larg part of the costs; **ils représentent 12 % de la population** they make up *ou* represent 12% of the population.	} symboliser
	c (*Théât*) (*jouer*) to perform, play; (*mettre à l'affiche*) to perform, put on, stage; *superproduction, adaptation* to stage. **on va ~ 4 pièces cette année** we (*ou* they *etc*) will perform *ou* put on 4 plays this year; **Hamlet fut représenté pour la première fois en 1603** Hamlet was first performed *ou* acted *ou* staged in 1603.	} théâtre
	d (*agir au nom*) *ministre, pays* to represent. **il s'est fait ~ par son notaire** he was represented by his lawyer, he sent his lawyer to represent him, he had his lawyer represent him; **les personnes qui ne peuvent pas assister à la réunion doivent se faire ~ (par un tiers)** those who are unable to attend the meeting should send someone to replace them *ou* should send a stand-in *ou* a deputy.	} agir au nom de
	e **~ une maison de commerce** to represent a firm, be a representative *ou* a traveller for a firm.	commerce
	f (*littér*) **~ qch à qn** to point sth out to sb, (try to) impress sth on sb; **il lui représente les inconvénients de faire l'affaire** he pointed out to him the drawbacks of the matter.	} littéraire
2 Verbe intransitif	**2 vi** (*frm: en imposer*) **il représente bien** he cuts a fine figure; **le directeur est un petit bonhomme qui ne représente pas** the manager is a little fellow with no presence at all *ou* who cuts a poor *ou* sorry figure.	
3 Verbe pronominal	**3 se représenter vpr a** (*s'imaginer*) to imagine. **je ne pouvais plus me ~ son visage** I could no longer bring his face to mind *ou* recall *ou* visualize his face; **on se le représente bien en Hamlet** you can well imagine him as Hamlet; **représentez-vous cet enfant maintenant seul au monde** just think of that child now alone in the world; **tu te représentes la scène quand il a annoncé sa démission!** you can just imagine the scene when he announced his resignation!	} s'imaginer
	b (*survenir à nouveau*) **l'idée se représenta à lui** the idea came back to his mind *ou* occured to him again *ou* crossed his mind again; **si l'occasion se représente** if the occasion presents itself again, if the opportunity arises again; **le même problème va se ~** the same problem will crop again, we'll be faced *ou* confronted with the same problem again.	} survenir à nouveau
	c (*se présenter à nouveau*) (*Scol*) to resit (*Brit*), retake; (*Pol*) to stand again (*Brit*), run again (*surtout US*). **se ~ à un examen** to resit (*Brit*) *ou* retake an exam; **se ~ à une élection** to stand (*Brit*) *ou* run for election again, stand (*Brit*) *ou* run for re-election.	} se présenter à nouveau

Exercices

1- À partir des articles du même dictionnaire ou d'un autre, représentez schématiquement l'article concernant le mot anglais ***CHAIR*** et le mot français CHAISE. Que peut-on dire des différences ?

2- Essayez d'imaginer la structure de l'article traduisant le mot français DERNIER et vérifiez ensuite dans le dictionnaire pour voir ce que vous avez oublié (vous avez certainement oublié quelque chose). Idem avec le mot français COUCOU, avec l'anglais ***NUMBER*** ou ***SPRING***.

II LES INDICATEURS DU DICTIONNAIRE BILINGUE

Dans la section précédente vous avez vu comment l'article était structuré et en particulier la division de l'article en pararagraphes portant chacun sur une zone de sens. Ces paragraphes doivent évidemment être distingués les uns des autres. C'est l'un des rôles des indicateurs, c'est-à-dire des indications qui suivent immédiatement chacune des lettres (a) (b) (c) etc.

1 Nature des indicateurs

Ces indicateurs peuvent être de nature différente. Regardez à nouveau l'article concernant **représenter** dans la section précédente. On voit que dans ce cas, le lexicographe a choisi de préciser le sens traduit dans le premier paragraphe par **(décrire)**, un synonyme de **représenter**. De même le paragraphe (b) concerne les emplois de **représenter** lorsqu'il est synonyme de **(symboliser)**.

Le paragraphe 1 (c) par contre commence par **(Théât)** qui n'est pas un synonyme mais un indicateur de domaine. On trouve d'autres exemples d'indicateurs de domaine à l'intérieur du paragraphe 3 (c) : **(Scol)** scolaire et **(Pol)** politique. La liste complète de ces abréviations figure au début du dictionnaire.

Le paragraphe 1 (f), quant à lui, commence par **(littér)** qui n'indique ni un synonyme, ni un domaine, mais un niveau de langue, en l'occurrence le niveau littéraire : **représenter quelque chose à quelqu'un** est une expression qui appartient à la langue soutenue.

Il existe de plus trois autres types importants d'indicateurs : les indications grammaticales (ici **vt, vi, vpr** pour verbe transitif, intransitif, pronominal), les indications de variété de langue, en particulier **Brit** et **US** (dans le paragraphe 3 (c) pour distinguer l'usage en anglais britannique et en anglais américain. Enfin les indicateurs de collocations typiques, comme par exemple dans le paragraphe 3 (c) **superproduction, adaptation** qui sont les compléments d'objet les plus courants que l'on peut trouver à la suite du verbe **représenter** correspondant à cette traduction.

2 Rôle des indicateurs

Mais le rôle des indicateurs ne se borne pas à distinguer les paragraphes les uns des autres puisqu'on en trouve aussi à l'intérieur des paragraphes. Relisez par exemple le premier paragraphe 1 (a).

On voit que dans ce paragraphe, les traductions proposées pour les emplois de **représenter** lorsqu'il est synonyme de **décrire** doivent être subdivisées en deux catégories.
Tout d'abord celles qui correspondent à représenter lorsque le sujet de ce verbe est quelque chose du type de **[peintre, romancier]** ; ensuite, celles qui correspondent à ce même verbe lorsque son sujet est un nom du type **[photographie]**. Il se trouve qu'en anglais, **représenter** pourra être traduit différemment selon que le sujet est un être humain (dans le premier cas) ou un objet (dans le second). Notez cependant que parmi les différentes traductions proposées, l'une, **show**, est commune à ces deux cas de figures.

Il faut donc retenir que ces indicateurs sont indispensables pour connaître le mot anglais qui conviendra au contexte que vous devez traduire. Ils n'ont de valeur que les uns opposés aux autres : par exemple les sujets indiqués entre crochets sont des sujets typiques **[peintre, romancier]** et s'opposent à un autre sujet typique possible **[photographie]**.
Ils permettent de déduire la traduction qui conviendra dans le cas où le sujet est un cinéaste, un dessinateur ou un plan dans un film, un dessin]

Exercices

1- Consulter la liste d'abréviations donnée en tête du Robert-Collins et et notez celles qui vous seront les plus utiles, en fonction du type de texte que vous aurez à traduire. Parmi celles-ci soulignez celles, assez rares, qui ne sont pas évidentes.

2- Trouver la traduction *directe* correspondant aux emplois suivants du verbe représenter et expliquez votre démarche :

1 Balzac représente la vie des bourgeois de Tours.
2 *Le Baiser* de Rodin représente un couple d'amoureux enlacés.
3 Nommé ambassadeur, il représenta d'abord son pays au Brésil.
4 Tu te représentes en septembre ou tu préfères laisser tomber ?
5 Il représente plusieurs constructeurs de machines-outils italiens.
6 On a representé *Le malade imaginaire* trois fois depuis 1987.
7 Le cacao représente 50% de nos exportations.

III Les exemples dans le dictionnaire bilingue

Pourquoi le dictionnaire bilingue donne-t-il des traductions d'exemples en plus des traductions directes, alors que l'article est assez long et compliqué sans cela ?

1 Précisions de sens

Tout d'abord, les exemples permettent de distinguer des sous-catégories du sens. Ainsi lorsque **se représenter** est synonyme de **se présenter de nouveau**, il faut distinguer le cas de l'étudiant et celui du député. C'est pourquoi le paragraphe 3 (c) comporte les deux exemples :

> se représenter à un examen : *to resit an exam*
> se représenter à une élection : *to stand ou run for election again* ...

Dans ce cas les exemples jouent le même rôle que les indicateurs de sujets typiques donnés dans les traductions directes comme dans le paragraphe 1 (a) (décrire) [peintre, romancier] to depict, portray, show; [photographie] to represent, show; ...

2 Unités de traduction complexes

Les exemples permettent de plus de proposer des traductions différentes des traductions directes, lorsqu'elles nécessitent qu'on traduise non plus le mot **représenter** isolément mais tout le groupe de mots auquel il appartient. C'est le cas, dans le paragraphe 1 (d) de :

> les personnes qui ne peuvent assister à la réunion doivent se faire représenter (par un tiers)
>
> traduit par

those who are unable to attend the meeting should send someone to replace them ou should send a stand-in ou a deputy.

Dans cet exemple, aucun mot anglais ne correspond précisément à représenter, c'est tout le bloc **se faire représenter (par un tiers)** qui est traduit par ***send someone to replace them*** ou ***should send a stand-in*** ou ***a deputy***. C'est une équivalence pour l'ensemble de l'expression en français qui est proposée.

3 Problèmes de grammaire

Enfin les exemples montrent comment l'on doit résoudre certains des problèmes de grammaire que posent la traduction, c'est-à-dire les modifications grammaticales que la traduction va entraîner à sa suite. Par exemple dans le paragraphe 11 (a) l'exemple :

représenter fidèlement les faits
traduit par
to describe ou set out the facts faithfully

vous montre qu'en anglais il sera préférable de ne pas placer l'adverbe entre le verbe et son complément mais de le rejeter à la fin.
Dans le même paragraphe, l'exemple :

on le représente comme un escroc
traduit par
he's represented as a crook ou made out to be a crook

vous montre qu'il peut être judicieux de penser au passif pour traduire **réprésenter** en anglais ainsi que la construction des verbes choisis : ***represent*** est suivi de ***as***, tandis que ***make out*** est suivi d'une proposition infinitive.

Exercice

Dans l'article concernant le verbe français REPRENDRE, précisez pour chaque exemple ce qu'il apporte de plus à la traduction directe.
De même dans l'article traduisant l'anglais **EYE**, justifiez la présence des exemples.

Annexe 2

Monolingual dictionaries

Foreign students of English tend to rely on bilingual dictionaries only: they want to find out the translation for the unknown English word, and don't even think of using a monolingual dictionary (one which is written in English only) probably because they are afraid of not being able to understand the definition in English.

However there is a lot you can learn from a monolingual dictionary that you will not find in a bilingual one, and it is often necessary to consult both to find a good translation.

Some monolingual dictionaries are designed especially for foreign learners, and they are very different from those meant for native English speakers. For example, look at the two articles concerning the same word in the *Collins COBUILD English Language Dictionary* and in the *Concise Oxford Dictionary*. Both are excellent dictionaries but one should be more accessible to you. Which one?

chop /tʃop/, **chops, chopping, chopped.** 1 If you **chop** something, you cut it with energetic movements, usually with a sharp tool such as an axe. EG *I don't like chopping wood... Wouldn't it be simpler to chop that tree down?... Many famous people had their heads chopped off in the Tower of London.* VOR V + O : USU +A

➤ used as a noun. EG *The trunk started to tilt after the first chop.* ➤ N COUNT

2 If you **chop** food, you cut it roughly into smaller pieces. EG *Peel, slice, and chop the apple... Add chopped garlic and some vinegar.* V + O = dice

3 If you **chop** with your hand, you make a sharp downward movement with it, for example when you are fighting. EG *He chopped down with his free hand, just once.* ➤ used as a noun. EG *...the forehand chop with the edge of the palm.* V+A, OR V+O ⥣ move = strike ➤ N COUNT = strike

4 If you **chop** something connected with money, you make it smaller; an informal use. EG *You can save energy and chop your fuel bills... We've chopped more than £1,000 off the budget.* V + O ⥣ reduce

5 A **chop** is a small piece of meat on a bone, usually cut from the ribs of a sheep or pig. EG *...lamb chops.* N COUNT

6 The word **chop** is also used in the following informal expressions: **6.1** If you get the **chop** or are given the **chop**, you lose your job; used in British English. **6.2** If something is **for the chop**, it is going to be stopped or closed down; used in British English. EG *The small theatres will be first for the chop.* **6.3** When people **chop and change**, they keep changing their minds about what to do or how to act. EG *All this chopping and changing is very confusing.* N SING : *the*+N = boot, push PHR : USED AS AN A PHR : VBS INFLECT ⥣ vacillate

Collins Cobuild, Collins.

chop1 /tʃap/ *v.* & *n.* – *v.tr.* (chopped, chopping) 1 (usu. foll. by *off*, *down*, etc.) cut or fell by a blow. usu. with an axe. 2 (often foll. by *up*) cut (esp. meat or vegetables) into small pieces. 3 strike (esp. a ball) with a short heavy edgewise blow. 4 *Brit. colloq.* dispense with; shorten or curtail. —*n.* 1 a cutting blow, esp. with an axe. 2 a thick slice of meat (esp. pork or lamb) usu. including a rib. 3 a short heavy edgewise stroke or blow in tennis, cricket, boxing, etc. 4 the broken motion of water, usu. owing to the action of the wind against the tide. 5 (prec. by *the*) *Brit. sl.* **a** dismissal from employment. **b** the action of killing or being killed. **chop logic** argue pedantically. [ME, var. of CHAP1]

chop2 /tʃap/ *n.* (usu. in *pl.*) the jaw of an animal etc. [16th-c. var. (occuring earlier) of CHAP3, ofunkn. orig.]

chop3 /tʃap/ *v. intr.* **(chopped, chopping) chop and change** vacillate; change direction frequently. [ME, perh. rel. to *chap* f. OE Cëapian (as CHEAP)]

chop4 /tʃap/ *n. Brit. archaic* a trade mark; a brand of goods. **not much chop** esp. *Austral.* & *NZ* no good. [orig. in India & China, f. Hindi *chāp* stamp].

The concise Oxford Dictionary, Clarendon Press, Oxford.

You will probably agree that the one on the left is much easier to read. It is extracted from the *Collins COBUILD* . You will be able to use The *Concise Oxford English Dictionary* when you have a better command of English.

Why is the Cobuild easier to understand?

1 Visual characteristics

The article on the left is easier to understand because first of all it is visually simpler.
First, all the paragraphs concerning the main senses of the word CHOP 1, 2, 3 ... start on the margin, whereas in the other article they may start in the middle of the text.
Second, there are no parentheses, whereas you have quite a few in the other article and this also makes it easier to read.
Third, there are practically no abbreviations in the text of the article itself (only **EG**, which means "for example") whereas there are a lot of them in the text of the other article.

Of course you will probably understand most of them fairly easily, for instance you can guess that :

usu. foll. by off, down, etc.

means

usually followed by off, down, etc.

but since there are twenty one such abbreviations in this article alone, this may slow you down.
Fourth all the grammar indications are placed in a separate column right of the definitions.

2 The definition

Why is the COBUILD definition easier to understand ?

First, because each definition is a complete sentence. Most definitions concerning the verb ***chop*** in this article are formed on the same pattern:

If you chop something, you do this or that in a certain way.

Such a definition is easier to grasp than a truncated sentence like :

cut or fell by a blow usu. with and axe.

Second, because the words used in these definitions are often simpler words. Compare for instance two definitions corresponding to the same sense in the two articles :

If you get the chop, you lose your job; used in British English.	*(prec. by the) Brit. sl. a dismissal from employment*

You may not have come across ***dismissal*** before, whereas you know the words ***lose*** or ***job***.

Third, because you have some extra information in the column on the right of the COBUILD article. For example opposite the third paragraph you can see :

⇑ *move*
= *strike*

which means that ***strike*** is a synonym for this particular sense of ***chop***, and *that* ***move*** is a more general word : chopping with one's hands is a particular way of moving one's hands, in the same way as to *stare* or to *glance* at someone are particular ways of looking at someone.

3 The examples

Why are there examples in the second article and not in the other one?

Because examples are particularly necessary for foreign learners like you since they inform you about the way words are used. Knowing the meaning as explained by a definition is not enough, no matter how good the definition is.

First, the examples show you what sort of context you will typically find associated with the word ***chop***. If you look at the examples in the first paragraph you can discover that typically, it is followed by complements like ***wood***, ***tree***. Then in paragraph 4, in which ***chop*** means something else, typical complements are ***bills*** or ***budget***.
It is only by reading all of these examples that you will really get to know the word because the meaning of a word is not just what can be expressed in a simple defining sentence but its connotations — and these connotations appear not in the word itself but in the contexts in which it can be found.
Second, the examples give you vital information about the grammar of the word, that is to say how the word interacts with others in a given context. For instance the second example in paragraph 1:

Wouldn't it be simpler to chop that tree down?

shows you that ***chop*** can be used with the adverbial particle ***down***, and that the complement ***that tree*** is placed right after the verb itself. This is different from the example in paragraph 3:

He chopped down with his free hand, just once.

in which ***down*** is an adverbial particle and ***chop*** is not used as a transitive verb (it does not have an object).
The last example (paragraph 6) :

All this chopping and changing is very confusing.

shows that the verbs can be nominalized with -ING so as to become the subject of a sentence.

Finally it is interesting to notice that the two articles do not contain exactly the same information; this does not necessarily mean that one is better than the other but simply that they are meant for different types of readers.
In the Oxford article you can learn about the etymology of the word and this has been left out of the COBUILD entry because it was thought that etymology was not essential for most learners of English as a foreign language and that it would only make the text of the article more confusing.

More intringuing perhaps is the absence of the phrases:

chop logic
not much chop

in the COBUILD article.
Similarly, note the absence of the phrase:

for the chop

in the Oxford article.

These examples show that lexicographers cannot include all the information concerning words and that they have to select the information they feel is most useful for their readers. That's why it is often useful to compare what two dictionairies say about the same word.

In the case of COBUILD, the selection was made after the examination of a 20 million words corpus of English, in which 126 examples of ***chop*** were found: among those there were 4 occurrences of ***for the chop***, but none of ***chop logic***.

Aubin Imprimeur
LIGUGÉ, POITIERS

IMPRESSION – FINITION

Achevé d'imprimer en septembre 1993
N° d'impression L 43860
Dépôt légal septembre 1993
Imprimé en France

COLLECTION

L A N G U E S S U P

Des ouvrages conçus pour permettre aux étudiants quelque soit leur cursus universitaire, de s'entraîner efficacement aux différents types d'épreuves et maîtriser rapidement les langues. Mise en perspective méthodologique, exercices corrigés de vocabulaire, de grammaire, de traduction...

ANGLAIS

ENGLISH GRAMMAR ALIVE !
F. Maniez, M. Melter
128 p.

HOW SHALL I PUT IT ?
A. Robillard
190 p.

WORDS IN CONTEXT
A practical guide to the vocabulary of perception and movement in English
J. Darbelnet, G. Vitale
176 p.

WORDS IN SYMPATHY
A practical guide to the vocabulary of feelings, sociability and morality in English
G. Vitale
224 p.

LEGAL ENGLISH VOCABULARY
G. et J.-M. Thomson
176 p.

TRANSLATE
Initiation à la pratique de la traduction
G. Hardin, C. Picot
184 p.

MÉTHODE ET PRATIQUE DU THÈME ANGLAIS
M. Durand, M. Harvey
256 p.

FROM & INTO ENGLISH
An introduction to translating from and into English
J.-M. Thomson
208 p.

L'EXPLICATION GRAMMATICALE
Faits de langue - Faits de discours
C. Delmas et al.
288 p.

ESPAGNOL

TRADUCIR
V. Rajaud, M. Brunetti
160 p.